Le Golfeur et le Millionnaire

Du même auteur

Sous le nom de Marc Fisher

Le Piège amoureux (Mariage à Hollywood), roman, Montréal, Les Presses d'Amérique, 1994.

Le Millionnaire, roman, Montréal, Les Presses d'Amérique, 1994.

Le Psychiatre, roman, Montréal, Éditions Québec/Amérique, 1995.

Sous le nom de Marc-André Poissant

La Vie nouvelle, roman, Montréal, Éditions Merlin, 1994.

L'Ouverture du cœur, roman, Montréal, Éditions Libre Expression, 1987 ; Montréal, Éditions Merlin, 1994.

Le Golfeur et le Millionnaire

Un conte sur le bonheur et les secrets du golf

MARC FISHER

ÉDITIONS QUÉBEC/AMÉRIQUE
329, rue de la Commune Ouest, Montréal, (Québec) H2Y 2E1 (514) 499-3000

Données de catalogage avant publication (Canada)

Fisher, Marc, 1953 -
Le Golfeur et le Millionnaire

ISBN 2-89037-882-9

I. Titre.
PS8581.024G64 1996 C843'.54 C96-940512-X
PS9581.024G64 1996
PQ3919.2.P64G64 1996

Les Éditions Québec/Amérique bénéficient du programme de subvention globale du Conseil des Arts du Canada.

Dépôt légal : 2e trimestre 1996
Bibliothèque nationale du Québec
Bibliothèque nationale du Canada

Réimpression : mars 1997

Mise en page : Julie Dubuc

À Muktananda

Pour Deborah

Table des matières

1

Où le golfeur voit mourir ses rêves

Il était une fois un homme qui ne croyait pas en lui.

Pour quelle raison ?

À vrai dire, il ne le savait pas...

Mais c'était peut-être tout simplement parce que ses parents – et surtout son père – n'avaient jamais cru en lui.

Golfeur de profession, il n'avait jamais réussi à accéder au circuit de la P.G.A.* (ce qui était son véritable rêve) et il devait se contenter de vendre des balles et de donner des leçons aux membres d'un club très sélect...

Côtoyer quotidiennement ces gens, qui avaient tous sinon réussi leur vie, du moins réussi dans la vie, accentuait le sentiment de son propre échec.

Pourtant, jeune, il avait été habité par la certitude qu'un jour son nom brillerait au firmament des grands du golf, à côté de ceux d'Arnold Palmer, Jack Nicklaus, Tom Watson, Nick Faldo, Greg Norman, Fred Couples, Nick Price... Ses brillants succès à l'université permettaient tous les espoirs. Mais hélas ! une fois venu le temps des qualifications de la P.G.A., son élan, pourtant très sûr à l'université, l'avait mystérieusement laissé tomber et son talent sur les verts l'avait abandonné, comme des ministres qui s'éloignent spontanément d'un président malade ou défait.

---

* P.G.A. : Professional Golf Association.

À trente ans, il avait finalement renoncé. Ne fallait-il pas, comme on le lui avait tant de fois répété, se « faire une raison », cesser de rêver en couleur ? Son père lui avait d'ailleurs mille fois seriné qu'il n'avait aucun talent. Il aurait simplement dû le comprendre plus tôt.

Une petite voix intérieure, de plus en plus faible il est vrai, aussi ténue qu'un murmure, lui soufflait pourtant qu'il avait tout pour réussir, que ce n'avait été qu'un malheureux concours de circonstances, qu'il avait joué de malchance...

C'est ce qu'il se disait à ce moment-là, sur le terrain d'exercice du club de golf qu'éclairait la lumière rosée du soleil couchant. Comme un automate, comme un maniaque plutôt, il avait bien dû frapper deux cent cinquante, peut-être trois cents balles d'affilée, toujours avec le même bâton, son bois n° 1.

Il avait beau avoir frappé des centaines de balles en cette belle fin de soirée du mois de mai – et des centaines de milliers dans sa carrière –, il ne se lassait jamais d'admirer un beau coup. D'abord la sensation de frapper la balle entre « les quatre vis », puis son vol blanc dans le ciel bleu, et cet instant magique où, au plus haut de sa trajectoire, elle semble une fraction de seconde immobilisée dans les airs, comme en état d'apesanteur, avant de retomber au sol et de rouler dans l'herbe verte de l'allée. Un sentiment glorieux l'envahissait devant le spectacle d'un coup réussi, surtout un coup de départ, un sentiment de puissance, certes, mais aussi de liberté, d'exaltation, comme si c'était lui qui s'envolait à la place de la balle. Le rêve de voler est peut-être plus profond qu'on ne croit dans l'âme de l'homme...

Cette émotion fut plus intense qu'à l'habitude devant son dernier coup, car sa balle parcourut la distance phénomenale de trois cents verges, ce qui lui arrivait plutôt rarement.

Cette fierté fut vite assombrie par tout un train de pensées qui le hantaient depuis des années. La constatation de son propre talent exacerbait son amertume de golfeur frustré.

« Je peux frapper trois cents verges, se dit-il pour la millième fois peut-être, et je ne suis jamais arrivé à me qualifier...* »

D'une certaine manière, même s'il avait renoncé à la compétition, il n'avait jamais accepté ses revers et continuait de les trouver incompréhensibles. Il était certainement né sous une mauvaise étoile.

Le soleil avait disparu depuis un moment. Tout à coup, Robert – c'était le nom de ce golfeur malheureux – parut se réveiller, comme un somnambule. Il remarqua que sa main droite, qui n'était pas gantée comme l'autre, le faisait souffrir. Il avait frappé trop de balles – il avait perdu depuis longtemps l'habitude, contractée dans ses jeunes années, de ces longues séances d'exercices au cours desquelles il pouvait lancer jusqu'à mille balles sans éprouver la moindre courbature ni la moindre douleur dans ses mains.

Il possédait des mains puissantes et souples, des mains qui paraissaient animées d'une vie propre, d'une conscience. Des mains qui lui avaient souvent valu du succès auprès des femmes. Il faut dire que son physique ne lui nuisait pas trop à ce chapitre. Avec sa taille d'un mètre quatre-vingt-dix, son abondante chevelure blonde, ses yeux bleus et ses larges épaules, il ressemblait à Robert

*Se qualifier : sous-entendu pour le circuit de la P.G.A.

Redford. Et cette ressemblance était responsable des pamoisons, ou du moins des innombrables compliments, de ses élèves féminines, ce qui indisposait parfois les membres du club, fortunés certes mais souvent plus âgés et moins athlétiques que lui.

Il grimaça en constatant que son index droit avait un début d'ampoule sur sa partie la plus charnue. Et il pensa avec dépit que, plus jeune, il n'aurait jamais pu frapper assez de balles pour en arriver là. Du bout de l'index gauche, il appuya sur l'ampoule pour en estimer l'importance. Les dégâts n'étaient pas trop sérieux. S'il arrêtait de frapper tout de suite, l'ampoule se résorberait sans doute en quelques heures. Il plissa les lèvres et se dit qu'il était stupide, de toute manière, de prolonger sa séance d'entraînement. N'avait-il pas renoncé une fois pour toutes à la compétition ?

Pourtant, ce jour-là, il avait éprouvé l'envie absurde de renouer avec l'époque glorieuse et pas si lointaine où son grand rêve vivait encore en lui, où il pouvait s'exercer de l'aube jusqu'aux lueurs du crépuscule, sans se fatiguer, porté par son but, sa passion.

Était-ce parce que, sans se l'avouer, il était en état de choc ?

Le matin en effet, Clara, sa compagne des trois dernières années, lasse de son refus obstiné de s'engager – en se mariant ou en ayant un enfant – avait décidé de rompre. Il avait accepté qu'elle garde l'appartement – qui était le sien au départ. Il se retrouvait donc du jour au lendemain à la porte, obligé de se réfugier à l'hôtel, perspective qui le déprimait.

Il épongea son front baigné de sueur, un front haut et large, marqué à la tempe gauche par une petite cicatrice qui remontait à son enfance. Il ne se souvenait pas comment il s'était fait cette cicatrice : elle était restée pour lui un mystère. Il y pensait souvent, comme s'il avait la vague certitude qu'elle cachait un événement majeur de ses jeunes années, événement qu'il avait préféré reléguer au tréfonds de sa mémoire, peut-être précisément parce qu'il était important. Ne préfère-t-on pas toujours oublier ce qui est vraiment important dans la vie ?

Parfois lassé d'en sonder le mystère, il se disait qu'il s'était probablement fait cette cicatrice comme n'importe quel enfant, en « jouant à la guerre » ou aux pirates avec une épée de bois...

Le jeune employé chargé de ramasser les balles sur le terrain d'exercice survint alors et lui demanda, d'une voix polie :

— Allez-vous frapper d'autres balles, monsieur ?

Robert sursauta, comme si le préposé le tirait d'un rêve - d'un mauvais rêve.

— Non, dit le golfeur après un instant de réflexion, tu peux commencer. Tu rangeras mon sac lorsque tu auras fini.

Et il laissa tomber son bois n° 1 contre son sac posé par terre. Rouquin sympathique d'une quinzaine d'années, le garçon s'empressa de se pencher pour ramasser le bâton, l'essuya avec la serviette qu'il gardait continuellement dans sa poche arrière puis le rangea dans le sac avec un soin extrême.

Le golfeur remarqua la lueur d'admiration qui brillait dans les yeux de l'adolescent. Pour lui, comme d'ailleurs pour beaucoup de jeunes employés du club qui aspiraient à gagner un jour leur vie dans le golf, Robert était semblable à un dieu, et ses bâtons étaient aussi dignes de vénération que les instruments sacrés d'un véritable sacerdoce.

Robert plissa tristement les lèvres. Il ne pouvait s'empêcher de voir à quel point différaient l'image que le rouquin avait de lui et celle qu'il avait de lui-même.

Une image avec laquelle il devait vivre tous les jours, comme avec un compagnon de voyage indésirable.

Il s'approcha du jeune employé et ébouriffa affectueusement son abondante chevelure. Puis il lui glissa dans la main un généreux pourboire, ce qu'il ne faisait jamais avec le personnel et qui était d'ailleurs interdit aux membres. Le rouquin regarda le billet froissé de dix dollars.

— Mais, monsieur, objecta-t-il avec une surprise embarrassée, ce n'est pas...

— Ne cesse jamais de rêver, dit le golfeur.

Et il s'éloigna sans lui laisser le temps de protester davantage. Le gamin observa un moment son idole, puis haussa les épaules, empocha joyeusement le billet et monta sur le tracteur avec lequel il ramassait les balles.

Tout en marchant, Robert retira pensivement son gant de golf et nota qu'il avait également un début d'ampoule à la main gauche.

« Diable ! pensa-t-il, je n'ai vraiment plus la forme... »

Il se rendit rapidement au vestiaire du pavillon avec l'intention de se doucher. Puis il se ravisa, même s'il avait passablement sué. À quoi bon ! Il n'avait personne à qui plaire ce soir-là – en tout cas personne à qui il risquait de déplaire ! Il se doucherait plus tard, dans la minable chambre d'hôtel qu'il dénicherait et où il n'aurait sans doute rien de mieux à faire.

Il prit dans sa case un petit sac de voyage en cuir noir, se dirigea vers la porte et passa devant le préposé aux souliers, Roland, un quinquagénaire avenant qui exerçait son art avec une aménité angélique et était l'ami de tous les membres.

Le téléphone sur son comptoir – un vieux modèle noir des années soixante : seule résistance du club au progrès – attira l'attention du golfeur, et, après une hésitation, celui-ci céda à la tentation de composer le numéro de son appartement. « Son » appartement... Le possessif s'appliquait mal désormais !

Il laissa sonner deux coups, raccrocha avant que Clara réponde.

Puis, un peu mécaniquement, il fit les premiers chiffres du numéro de son père. Mais il n'alla pas jusqu'au bout. Il avait songé à lui demander de l'héberger quelques jours, le temps qu'il se trouve un nouvel appartement. Mais ses relations avec son père n'étaient pas à leur meilleur, et la pensée de retourner ainsi chez ses parents, à trente ans, le déprima trop.

Il sortit alors que Roland, un chiffon à la main, lui demandait s'il pouvait faire quelque chose pour lui. Quelques secondes plus tard, Robert, son sac de cuir noir en bandoulière, arpentait d'un pas rapide le stationnement du club.

Chaque fois qu'il y garait ou y récupérait sa voiture, ses complexes refaisaient surface, le tiraillaient. Sa vieille Riviera avait beau conserver le lustre de son prestige ancien, elle faisait figure de parent pauvre à côté des Rolls, des Mercedes, des Porsche et des B.M.W. des membres.

Il savait bien qu'on ne doit pas juger quelqu'un par sa voiture. C'était superficiel, matérialiste. Mais sa Riviera lui rappelait que, à l'encontre des membres du club, il n'avait pas réussi dans la vie... Elle était une sorte de tache, une plaie sur son visage, qui révélait une tare. Comme le jeune homme de la Bible, au lieu de mettre en valeur les talents reçus, il les avait enterrés. Il n'avait pas eu le courage, la persévérance de faire ce qu'il aimait dans la vie. Et il en avait reçu la terrible punition : il détestait ce qu'il était devenu.

2

Où le golfeur fait une rencontre étonnante

Il monta dans sa Riviera, posa son sac de cuir sur la banquette, essaya sans succès de démarrer. Il fit une nouvelle tentative, aussi infructueuse, s'impatienta, tapa sur son volant en laissant échapper un juron. Merde ! En plus d'être vieille, sa voiture était capricieuse maintenant !

Un membre garé juste à côté de lui et qui, pour faire la ridicule économie d'un pourboire d'un dollar, n'avait pas eu recours aux services du préposé au stationnement, monta à ce moment-là dans sa voiture, une rutilante Porsche rouge décapotable. Il fit vrombir avec orgueil son puissant moteur et salua le golfeur, tout en enfilant ses gants de conduite en cuir fin.

Robert lui rendit son salut et, pour ne pas s'infliger l'humiliation de voir de nouveau son moteur caler devant lui, prit le temps de s'allumer une cigarette. Comme pour lui donner la réplique, le voisin fortuné alluma un énorme havane, en tira de grosses bouffées satisfaites. Il semblait vouloir montrer au golfeur que celui-ci n'aurait jamais le dessus sur lui, même au chapitre du tabac...

— Bonne soirée, Robert, dit-il en parlant entre ses dents, le cigare toujours fiché dans la bouche.

— Bonne soirée, monsieur Birk, répliqua poliment le golfeur.

Monsieur Birk recula, puis disparut en faisant crier ses pneus, pour bien marquer sa joie d'être « au sommet du monde »...

Rarement le golfeur s'était-il senti aussi minable, aussi raté ; cette humiliation « mécanique » avait encore accru le sentiment de sa propre nullité.

Non seulement ne possédait-il pas une voiture à la hauteur, mais celle-ci n'était même pas foutue de démarrer au beau milieu de l'été ! Il tenta de se raisonner. Peut-être avait-il noyé le moteur. Ce ne serait pas la première fois. Alors il valait mieux prendre son mal en patience. « Je suis un gagnant et ma vie s'améliore continuellement ! » dit-il par dérision.

Il resta un instant le regard dans le vide, puis se tourna vers son sac de cuir, l'ouvrit et en tira une petite flasque de cognac dont il prit une longue rasade.

Une bouffée de cigarette contemplative, puis une nouvelle gorgée, et le flacon était presque à moitié vide.

Si cette médecine n'était guère salutaire pour lui, elle le fut pour son moteur qui, à sa nouvelle tentative, accepta de démarrer. Le golfeur sourit, alluma la radio et inséra dans le lecteur une cassette de vieilles chansons des Rolling Stones qu'il avait lui-même enregistrée. La première était *Time is on my side*, une de ses préférées, ironiquement, car il sentait justement, à trente ans, qu'il n'avait plus de temps devant lui...

Il quitta enfin le terrain de golf et, quelques minutes plus tard, ayant entre-temps vidé sa flasque, il se retrouva à un endroit où il s'était pourtant promis de ne pas aller : devant ce qu'il devait appeler désormais l'appartement de Clara. De la rue, il pouvait voir la fenêtre du salon, qui était éclairée.

Que n'aurait-il donné pour pouvoir retourner vingt-quatre heures dans le passé, pour se retrouver dans ce logement ! Mais il avait fait une erreur, une terrible erreur. Il n'avait pas cru Clara lorsqu'elle lui avait répété qu'elle l'aimait, qu'elle voulait passer sa vie avec lui...

Il ne s'était jamais senti digne de son amour...

Comment une femme comme elle, avocate brillante qui gagnait sa vie mieux que lui, pouvait-elle vraiment aimer un raté de son espèce, qui avait accepté de renier son idéal ?

Elle avait confiance en lui pourtant – elle était sans doute le seul être au monde qui eût cru en lui –, mais elle s'était simplement lassée d'attendre, de porter seule le flambeau de leur amour.

Il abandonna la contemplation douloureuse de la fenêtre et repartit, roula sans trop savoir où il voulait aller, en ayant seulement envie de rouler longtemps, le plus longtemps possible.

Peut-être toute la nuit.

C'était maintenant *Let's Spend the Night Together* qui jouait. Il haussa le volume, le mit très fort, ce qui eut pour effet de l'exciter. Il accéléra autant que le lui permettait la rue où il se trouvait... *« Let's spend the night together... »* Lui n'avait personne avec qui passer la nuit... D'ailleurs, la seule personne avec qui cela l'eût intéressé lui avait signifié son congé le matin...

Il aperçut un panneau indiquant une voie rapide...

« Parfait ! » laissa-t-il tomber avec dérision. Il avait justement envie de faire un peu de vitesse, de pousser à la limite sa vieille Riviera qui, malgré son usure, avait encore quelque chose dans le ventre... Du moins verrait-il jusqu'où elle pouvait aller...

« Tout n'arrive-t-il pas toujours pour le mieux ? se dit-il ironiquement... Je voulais rouler vite et un panneau d'autoroute apparaît comme par enchantement devant moi... »

Il monta encore le volume de sa radio au point de rendre la musique des Stones assourdissante... Et il se rangea dans la voie de gauche sans le signaler, et sans jeter un coup d'œil dans son rétroviseur, ce qui causa presque un accident et lui valut une volée de coups de klaxon dont il ne se soucia pas...

Il s'engagea dans la bretelle de raccordement de la voie rapide, qui était surélevée.

Il arrivait à la fin de l'entrée lorsqu'il eut l'impression de faire un cauchemar.

Devant lui, à son plus grand étonnement, une limousine noire reculait dans sa direction, pour éviter un terrible embouteillage sur l'autoroute.

— Qu'est-ce qu'il fait ? demanda le golfeur à haute voix.

Comme ses réflexes étaient passablement ralentis par l'alcool, il freina avec quelques secondes de retard. Le chauffeur de la limousine l'aperçut lui aussi, donna un coup de frein mais un peu tard. Pour éviter une collision maintenant presque certaine, le golfeur, *in extremis*, braqua vers la droite.

La voiture se mit à déraper, fit un tonneau spectaculaire avant de retomber sur ses quatre roues, puis de glisser de côté et de s'immobiliser, à moitié suspendue au-dessus du vide, à une quinzaine de mètres du sol.

Pendant le tonneau, la tête du golfeur heurta la fenêtre du passager, puis le volant, et Robert perdit conscience. Le moteur s'était arrêté de tourner, mais la musique continuait.

Mick Jagger chantait « *You can't always get what you want...* »

Dans l'entrée de la voie rapide, les voitures qui s'étaient engagées après le golfeur s'immobilisaient. Certains des chauffeurs en sortaient et s'avançaient, hésitants, vers la voiture accidentée. Un homme d'une quarantaine d'années marcha cependant vers la voiture d'un pas ferme, résolu à tirer Robert de son véhicule avant que celui-ci tombe dans le vide. Mais une soudaine explosion dans le moteur refroidit temporairement son ardeur héroïque. Un filet de fumée puis, immédiatement après, des flammes s'élevèrent du moteur.

Il y eut un mouvement de recul dans l'attroupement d'automobilistes qui se formait petit à petit sur les lieux de l'accident. L'automobiliste secourable hésita, mais les flammes devenaient de plus en plus importantes et semblaient sur le point de gagner l'habitacle, qu'une fumée épaisse emplissait maintenant. Si personne n'agissait, Robert mourrait asphyxié. À moins bien entendu qu'il ne meure écrabouillé. Sa voiture, en effet, vacillait de manière inquiétante. Une petite secousse, un coup de vent, et elle plongerait dans le vide !

Alarmé par la présence de plus en plus importante des flammes et de la fumée, l'automobiliste estima qu'il lui fallait agir sans tarder. Partagé entre la crainte de se blesser et le désir de faire son devoir de citoyen, il s'avançait d'un pas lent vers la Riviera accidentée lorsqu'un homme singulier, qui portait un chapeau noir et un bracelet très voyant en diamants, le prit fermement par le bras :

— N'y allez pas ! Vous allez vous tuer ! Cet homme est mort de toute façon...

— Comment pouvez-vous dire cela ? demanda l'automobiliste courageux.

L'autre le regarda droit dans les yeux :

— Je le sais...

Il y avait dans ce regard quelque chose d'intimidant, de menaçant. Une expression étrange, difficilement descriptible, comme l'incarnation du mal à l'état pur, si tant est que pareille chose existe. L'automobiliste eut de la peine à soutenir ce regard, baissa les yeux et aperçut le bracelet de diamants de l'homme. Il lui parut étrange qu'un homme portât semblable bracelet, qui avait plutôt l'air d'un bijou de femme.

Il semblait avoir perdu tout courage, se sentait les bras mous, les genoux vacillants. L'homme au bracelet de diamants esquissa un sourire lorsqu'il comprit que l'automobiliste était pour ainsi dire sous son charme et qu'il renonçait à secourir Robert.

Pendant ce temps, le chauffeur de la limousine, un sympathique Noir en uniforme, sortait de son véhicule et se précipitait pour ouvrir la portière arrière. Son patron en sortit, un homme qui devait avoir au moins soixante-dix ans mais paraissait encore fort alerte pour son âge. C'était un homme de taille moyenne, très mince – presque maigre – et dont le visage exprimait un calme assez étonnant dans les circonstances.

Pourtant, il ne paraissait nullement indifférent à la situation, qu'il semblait jauger avec une concentration extraordinaire. Il s'avança, rejoignit le premier automobiliste et l'homme au bracelet de diamants. Son chauffeur le suivait, craintif, devinant ce que son patron s'apprêtait à faire.

— N'y allez pas, patron ! objecta le chauffeur.

Mais le vieil homme, sans l'écouter, continua de marcher vers le véhicule accidenté dans lequel Robert n'avait toujours pas repris conscience.

— Il a raison, se permit de dire l'homme au bracelet de diamants. N'y allez pas. C'est trop dangereux pour un homme de votre âge.

Le vieil homme le regarda, un peu surpris, et l'homme au bracelet de diamants le fixa droit dans les yeux, les prunelles intenses. Mais son regard n'eut pas sur le vieil homme le même effet que sur le premier automobiliste.

— Vraiment ? demanda ironiquement le septuagénaire.

— Il a raison, renchérit le chauffeur, c'est dangereux.

— Si mon heure est arrivée, je ne peux rien faire pour l'éviter. Mais si elle ne l'est pas, pourquoi m'inquiéterais-je de ce qui peut m'advenir ? dit le vieil homme, qui porta ensuite toute son attention vers le véhicule en flammes.

Une seconde explosion se produisit alors dans le moteur, et les flammes s'élevèrent à cinq ou six mètres dans les airs. Loin d'être découragé, le vieil homme se mit à courir vers la voiture du golfeur devant les yeux étonnés des spectateurs. Il n'eut pas de peine à ouvrir la portière, détacha la ceinture de sécurité et, avec une force physique étonnante pour son âge et sa taille, retira l'homme du véhicule au son de *« You can't always get what you want... »*

Au même moment, la vieille Riviera en flammes, retenue jusque-là par le seul contrepoids du corps de Robert, tomba dans le vide et alla s'écraser bruyamment dans la rue, en bas de l'autoroute. Il y eut une nouvelle explosion, et l'automobile ne fut bientôt plus qu'un immense brasier.

Le chauffeur avait immédiatement prêté main-forte au vieil homme et l'aidait à transporter Robert jusque dans la limousine. Il se confondait en excuses.

— Je suis vraiment désolé, patron, tout est arrivé à cause de moi. Je n'aurais jamais dû faire marche arrière... C'est insensé. Il va sûrement vouloir nous actionner.

— On réglera ce problème en temps et lieu, Edgar. Pour le moment, il faut sauver la vie de cet homme. Vite ! À l'hôpital le plus proche...

✣

— Si vous voulez bien signer ici ? demanda au golfeur un homme élégamment vêtu d'un costume sombre et qui portait des lunettes cerclées d'or derrière lesquelles brillaient de petits yeux vifs à l'éclat sévère.

Assis dans son lit d'hôpital, le golfeur examina avec surprise le document que lui tendait l'avocat du propriétaire de la limousine.

Ce dernier ne se trouvait pas alors dans la chambre, car il en était sorti quelques minutes plus tôt pour donner des coups de téléphone importants. Pour sa part, le chauffeur se tenait un peu en retrait et jouait nerveusement avec sa casquette. N'était-ce pas son étourderie qui avait mis son patron dans pareil pétrin ? Au moins il avait eu la présence d'esprit, sans même consulter le vieil homme, de mander d'urgence sur les lieux son avocat.

Le golfeur repoussa le document.

— Qui êtes-vous ? demanda-t-il à l'avocat.

Cette question arracha à l'avocat un sourire contrarié. C'était lui qui habituellement posait les questions...

— Écoutez, dit-il en remettant devant le golfeur le document et en tendant une plume insistante, il s'agit simplement d'une petite entente selon laquelle vous acceptez la somme de trente-cinq mille dollars comme dédommagement complet pour l'accident que vous avez subi.

— Trente-cinq mille dollars ?

— Oui, voici d'ailleurs le chèque.

Et, ce disant, l'avocat tendit au golfeur un chèque de trente-cinq mille dollars libellé à son nom.

— Vous travaillez pour ma compagnie d'assurances ?

— Non, je représente mon client, dont vous avez tenté d'éviter la limousine... expliqua l'avocat.

À ce moment, le vieil homme entra.

— Maître Barney ? Que faites-vous là ?

— C'est... c'est moi qui l'ai appelé, expliqua un peu honteusement le chauffeur. J'ai pensé que pour la protection de monsieur, avec cette manie des poursuites, aujourd'hui...

L'avocat serra les mâchoires, crispa les lèvres. Cet idiot de chauffeur venait de prononcer le mot fatidique : « poursuites » !

— Edgar, dit l'avocat en lui jetant un regard réprobateur, si vous voulez bien nous laisser régler cela entre nous. Je crois que cet arrangement très avantageux va rendre tout le monde heureux... N'est-ce pas, monsieur ?

— Écoutez, je n'ai pas l'intention de signer quoi que ce soit...

— Vous voulez parler à votre avocat ?

— Je n'ai pas d'avocat et je n'en veux pas.

— Vous voulez plus ? Vous vous rendez compte que vous jouez un petit jeu dangereux ? Vous étiez en état d'ébriété.

— Écoutez, foutez-moi la paix ! Je n'ai pas l'intention de poursuivre l'homme qui m'a sauvé la vie...

— Maître Barney, je pense que notre ami est clair. Si vous voulez bien disposer maintenant...

L'avocat se retira à contrecœur en même temps qu'entrait le médecin avec de très bonnes nouvelles.

Les examens révélaient que, miraculeusement, le golfeur n'avait rien : aucune commotion, aucune fracture, seulement quelques légères contusions, des éraflures sans importance. Le médecin ne jugeait pas nécessaire de le retenir et lui donna immédiatement son congé.

— Il y a eu plus de peur que de mal, dit le vieil homme. C'est souvent comme ça dans la vie, non ? dit-il avec un sourire bienveillant au golfeur.

Mais celui-ci se taisait.

— Est-ce que je peux vous raccompagner chez vous ? lui demanda le vieil homme.

Avant de répondre, le golfeur eut une hésitation. Il se fit la remarque que cet homme, sur qui il semblait difficile de mettre un âge, possédait le visage le plus paisible, le plus dépourvu de tics ou de rides qu'il eût jamais vu, comme si la vie n'avait pas eu de prise sur lui. Mais c'étaient ses yeux surtout qui étaient remarquables, des yeux très grands, très bleus, au fond desquels brillait une sorte de sourire permanent, une présence. C'étaient les yeux d'un homme qui, même s'il avait vu beaucoup de choses, ne paraissait pas avoir été usé, brisé par le voyage mais, au contraire, conservait l'amusement, la fraîcheur d'un enfant. Et peut-être le plus frappant, le trait principal de sa personnalité, était-il l'expression de bonheur tranquille qui se dégageait de tout son être.

— Non, finit par dire le golfeur, je vous remercie.

— Je me permets d'insister. Je vous assure que ça ne me dérange pas du tout, n'est-ce pas, Edgar ?

— Monsieur a raison, approuva le chauffeur.

— C'est gentil de votre part de me l'offrir, mais c'est impossible, reprit tristement le golfeur. Depuis ce matin, je n'ai plus de chez-moi...

— Ah ! je vois, dit le vieil homme avec embarras.

Dans sa délicatesse, il n'osait poser davantage de questions, préférant attendre des confidences supplémentaires du golfeur.

Et comme ce dernier, nostalgique tout à coup, restait absorbé dans ses pensées, revoyant en un éclair le beau visage de Clara, le vieil homme proposa :

— Est-ce que je peux vous offrir l'hospitalité, alors ?

L'idée parut saugrenue au golfeur. Une heure avant, il ne connaissait pas cet homme. Mais c'était peut-être un signe du destin : la porte de son appartement s'était fermée, une nouvelle porte s'ouvrait. Et puis au fond, qu'avait-il à perdre ? Une chose était certaine, cette proposition lui éviterait, du moins provisoirement, une solitude qui ne lui inspirait rien qui vaille.

— Je ne voudrais pas m'imposer...

— C'est une affaire entendue, dit le vieil homme... Allez, Edgar, aidez notre ami...

Edgar, enchanté par la conclusion inattendue des événements, coiffa avec gaieté sa casquette et s'empressa d'aider le golfeur à se lever, puis, par précaution plus que par nécessité, le soutint jusqu'à la limousine.

Quelques minutes plus tard, la longue voiture noire roulait à bonne allure en direction de Hampton, où habitait le vieil homme. Le golfeur était demeuré silencieux, au début du trajet, et le vieil homme avait respecté ce silence, mais la curiosité le piqua bientôt :

— Nous ne nous sommes même pas présentés, dit-il. Mon nom est Robert. Robert Turner.

— Moi, dit le vieil homme, vous pouvez m'appeler simplement le millionnaire*. C'est ainsi que tous ceux qui me connaissent m'appellent.

— Le millionnaire... répéta pensivement le golfeur en tendant la main au vieil homme.

Ce vocable lui paraissait un peu curieux, certes, même s'il était vraisemblable qu'un homme se promenant en limousine avec chauffeur fût fort nanti. Mais le vieil homme avait prononcé ces mots d'une manière si parfaitement naturelle qu'il ne vint pas à l'esprit du golfeur de lui poser davantage de questions sur son identité.

— Enchanté de faire votre connaissance, ajouta-t-il.

Le millionnaire lui serra la main puis :

— Puis-je me permettre de vous demander ce que vous faites dans la vie ?

— Si je vous le dis, vous allez peut-être regretter de me l'avoir sauvée...

Et, sans transition, il précisa, en une confidence qui surprit un peu le millionnaire mais le toucha aussi :

— Je suis un golfeur raté.

— Pourquoi dites-vous ça ?

— Parce que je rêvais de gagner ma vie comme professionnel, et à la place je vends des balles de golf... Si vous avez une meilleure définition d'une vie ratée, vous seriez gentil de me la donner.

Le millionnaire ne répliqua pas tout de suite mais resta songeur, ému par la sincérité du golfeur. Rares étaient ceux

---

* Le personnage du millionnaire apparaît pour la première fois dans *Le Millionnaire*, puis revient dans *La Vie Nouvelle*.

qui se découvraient ainsi, sans aucune pudeur, dès la première rencontre.

— Mais vous êtes encore jeune... Quel âge avez-vous au juste ?

— Trente ans.

— C'est encore jeune, trente ans, il me semble.

— Pour un homme d'affaires peut-être, pour un écrivain ou un artiste, mais pour un golfeur, c'est très vieux.

— Pourtant Greg Norman n'a-t-il pas été nommé golfeur de l'année à quarante ans ?

— Greg Norman est Greg Norman...

— Et Ben Crenshaw n'a-t-il pas gagné le *Masters* à quarante-trois ans ?

— Il était déjà champion, jeune...

— Évidemment, dit le millionnaire en haussant les épaules, si vous trouvez toutes les bonnes excuses pour ne pas réussir, vous ne vous donnez pas beaucoup de chances...

Le golfeur plissa les lèvres, pensa que peut-être, effectivement, il avait renoncé un peu vite à son rêve, qu'il s'était trouvé trop aisément des excuses, des justifications à son insuccès... Mais il fallait bien qu'il gagne son pain d'une manière ou d'une autre... Il ne pouvait pas vivre éternellement en étudiant, se contentant d'expédients pour survivre, et tenter de se qualifier dans le circuit, ce qui, comme chacun sait, est le sort de la plupart des aspirants golfeurs... Il se serait senti encore plus mal à l'aise vis-à-vis de Clara, dont les émoluments d'avocate étaient déjà plus importants que les siens, ce qui n'était pas sans lui faire éprouver un certain sentiment d'humiliation, malgré les idées les plus libérales qu'il pût professer sur l'égalité des femmes...

— Pensez-vous que vous avez assez de talent pour réussir ? poursuivit le millionnaire.

Le golfeur était à la fois surpris et ravi par l'emploi du présent. Le millionnaire n'avait pas demandé : « Pensez-vous que vous *aviez* assez de talent pour réussir ? » mais bien : « Pensez-vous que vous *avez* assez de talent pour réussir ? »

Et cette seule nuance, importante il est vrai, avait quelque chose d'encourageant, d'excitant même. Comme si, du moins dans l'esprit de ce vieux millionnaire excentrique, tout espoir n'était pas perdu au sujet de ses ambitions.

— Euh, je... sans vouloir me vanter, je dirais que oui...

— Alors, si vous avez assez de talent, comment se fait-il que vous n'ayez pas réussi ?

Cette question, pourtant logique, prit le golfeur au dépourvu.

— Franchement, je... je ne sais pas...

— Peut-être est-ce parce que, au fond, vous n'y avez jamais cru.

— Gagner sa vie dans le circuit n'est pas facile, objecta le golfeur.

— Devenir millionnaire non plus. Mais je peux vous dire une chose : s'il ne suffit pas de croire qu'on peut être millionnaire pour le devenir, en revanche, aucun millionnaire ne l'est devenu sans avoir eu, à ses débuts, la conviction qu'il serait riche un jour. Je suis sûr que c'est la même chose pour le golf. Parce que les règles du succès sont identiques dans tous les domaines.

— Vous croyez ?

— Je ne fais pas seulement le croire. J'en suis absolument certain. Le golfeur n'osa pas demander de précisions.

D'ailleurs la limousine arrivait devant une imposante grille métallique, qu'un gardien s'empressa d'ouvrir. Le véhicule s'engagea aussitôt sur un chemin bordé de très beaux lampadaires.

Une première résidence apparut, suivie d'une seconde plus imposante et, enfin, de celle qui se révéla être la demeure principale du millionnaire, un véritable château. Le golfeur eut de la difficulté à retenir sa surprise et émit un sifflement admiratif.

— Je comprends maintenant qu'on vous appelle le millionnaire.

— Oh, dit modestement le millionnaire, les vrais signes de la richesse ne sont pas extérieurs...

La voiture s'immobilisa devant la porte principale. Le millionnaire et le golfeur en sortirent. Un domestique leur ouvrit, cependant que le chauffeur allait garer la limousine dans les immenses garages.

— Henri, veuillez montrer à notre ami sa chambre, dit le millionnaire.

Puis, se tournant vers le golfeur :

— Demain matin, nous vérifierons si vous avez le talent pour réussir dans le circuit... dit-il d'une manière un peu énigmatique. En attendant, passez une bonne nuit...

3

Où le golfeur comprend les raisons de ses échecs

Après le petit déjeuner, le millionnaire emmena le golfeur vers son vaste domaine. Il portait des knickers jaunes, à la Payne Stewart, un t-shirt assorti, une casquette, et le golfeur comprit immédiatement que son hôte était sérieux, la veille, lorsqu'il lui avait dit qu'il vérifierait son talent de golfeur.

— Je... je n'ai pas mes chaussures ni mes bâtons, fit remarquer le golfeur.

— On va voir ce qu'on peut faire, dit le millionnaire, amusé.

Et il entraîna son invité avec lui. L'immense roseraie impressionna certes le golfeur, mais ce qui l'étonna le plus fut sans doute la vue de ce qu'il crut d'abord être un parc aux dimensions colossales. Ce dernier s'était révélé à lui au moment où il avait franchi une espèce de porte pratiquée dans une impressionnante haie de cèdres.

Il avait sous les yeux, de toute évidence, un terrain d'exercice de golf, avec des panneaux indiquant les distances. On y voyait également un vert d'entraînement, avec neuf petits drapeaux rouges, et une fosse de sable. Puis, plus loin, on apercevait le tertre de départ d'un trou de golf et, à quelque quatre cents verges, un véritable vert.

— Vous... Vous ne m'aviez pas dit que vous habitiez à côté d'un terrain de golf...

Le millionnaire ne dit rien, se contenta de sourire en haussant les épaules.

D'un petit bâtiment peint en blanc sortit alors un homme qui était en fait l'intendant du terrain.

— Louis, dit le millionnaire, vous seriez gentil d'apporter à notre invité des chaussures... Quelle pointure portez-vous ?

— Des dix...

— Et avec quelle sorte de bâtons jouez-vous ?

Le golfeur lui indiqua la marque de bâtons qu'il utilisait.

— Très bien, dit l'employé....

Quelques minutes plus tard, de confortables chaussures de golf noires aux pieds, la main gauche gantée, avec en main un bois n° 1 identique au sien, le golfeur, étonné de la rapidité un peu magique avec laquelle les choses se déroulaient, se retrouvait sur un terrain d'exercice, devant le millionnaire qui avait lui aussi mis des chaussures de golf et, comme un professeur attentionné, avait posé pour lui une balle sur un té.

— Alors, voyons ce que vous savez faire... Frappez quelques balles pour moi...

Le golfeur se mit en position, s'élança et frappa un coup de départ de près de deux cent soixante-dix verges, en plein milieu du terrain d'exercice.

Sans le moindre commentaire, le millionnaire, avec une humilité et une serviabilité qui surprenaient et même embarrassaient un peu le golfeur, s'empressa de mettre une nouvelle balle de golf sur un té. Le golfeur la frappa, avec autant de puissance et de perfection que la première.

— Maintenant, dit le millionnaire après avoir placé une nouvelle balle sur le té, faites-moi un léger crochet de droite.

Le golfeur s'exécuta et réussit un magnifique crochet léger vers la droite.

— Un léger crochet de gauche, demanda le millionnaire.

Quelques secondes plus tard, la balle s'élevait vers la droite, puis décrivait en fin de trajectoire un léger crochet vers la gauche.

— Un autre, demanda le millionnaire, comme s'il n'était pas parfaitement satisfait du résultat ou doutait que le golfeur eût réussi le coup délibérément.

Le golfeur frappa un nouveau crochet vers la gauche, un peu différent du précédent, et le millionnaire dut se rendre à l'évidence : le golfeur contrôlait plutôt bien ses coups de départ.

Il se contenta cependant d'émettre un murmure admiratif, prit un *wedge* dans le sac que l'intendant avait apporté et le tendit à Robert en récupérant du même coup son bois n° 1.

— Visez ce panneau à cent vingt verges, maintenant.

Le golfeur frappa un premier coup d'approche, en droite ligne vers le panneau, mais légèrement à court de quatre ou cinq verges. Ce demi-échec parut fouetter son orgueil, car la balle suivante s'arrêta à cinq pieds à droite du panneau. La troisième s'immobilisa à deux ou trois pieds après le panneau, et la quatrième, parfaite, le toucha, ce qui fit fleurir sur les lèvres du golfeur un légitime sourire de fierté.

— C'est bien, dit le millionnaire, allons sur le vert.

Les deux hommes marchèrent en direction du vert d'entraînement, au bord duquel l'intendant avait apporté un gros sac de golf rempli uniquement de *putters* de différents styles. Impressionné, le golfeur y retrouva aisément un modèle de *putter* identique à celui qu'il utilisait depuis des années.

Le millionnaire sélectionna également un *putter*, puis entraîna le golfeur sur le vert. Il plaça une balle à trois pieds du petit drapeau d'exercice numéro un.

— Voyons ce que vous pouvez faire avec un *putter*.

Le golfeur ne sembla guère impressionné par ce test de golf et, sans vraiment prendre son temps, comme pour se débarrasser, il prit place et frappa la balle, qui heurta avec vigueur le drapeau et disparut dans le trou.

Le millionnaire plaça une deuxième balle à cinq pieds du trou, et le golfeur, s'appliquant cette fois-ci un peu plus, la cala avec facilité. Sur ce, le millionnaire plaça une troisième balle un peu plus loin, à environ sept pieds du trou, une distance respectable même pour un golfeur professionnel. Cette fois-ci, le golfeur prit bien son temps, vérifia s'il n'y avait pas une courbe dans le vert, ce qui ne paraissait pas être le cas, frappa la balle, laquelle partit un peu vers la gauche du drapeau et pénétra de justesse dans le trou par « la porte de côté », comme on dit en jargon de golf.

Le millionnaire plissa les lèvres, hocha la tête :

— C'est ce que je pensais, déclara-t-il d'une manière surprenante. Je comprends maintenant pourquoi vous n'avez pas réussi dans le circuit.

Piqué au vif, et à tout le moins étonné par cette déclaration, le golfeur protesta :

— Mais... j'ai calé les trois coups roulés, et je n'ai pas raté un seul coup sur le terrain d'exercice...

— Je sais. C'est pour ça que je dis que c'est ce que je pensais. Vous avez du talent, mais soit que vous ne croyiez pas en vous, soit que vous ne sachiez pas « gérer » votre talent, ou les deux à la fois, ce qui est pire encore. Pour réussir, malheureusement, le talent ne suffit pas.

— Je croyais pourtant...

— Non, j'ai connu des dizaines de jeunes gens qui avaient un talent fou et qui pourtant ont été laissés en plan, loin derrière d'autres qui avaient moins de talent mais qui croyaient davantage en leur bon génie et qui ont su tirer profit au maximum du peu d'aptitudes dont ils avaient hérité à la naissance.

— Ce que vous me dites me surprend un peu.

— Et pourtant, c'est pour cette raison qu'il y a tant de premiers de classe et de « forts en thème », comme on dit, qui deviennent des ratés dans la vie ou, en tout cas, dont on n'entend plus parler dès qu'ils ont quitté les bancs de l'école, alors que des décrocheurs qui obtenaient des notes médiocres ont souvent des réussites spectaculaires et font fortune.

Le golfeur était troublé, car ces paroles le touchaient droit au cœur. Il se reconnaissait. N'avait-il pas effectivement remporté de brillants succès comme joueur de golf universitaire, pour ensuite s'effondrer quand était venu le temps d'entrer dans la vraie vie, c'est-à-dire dans la compétition professionnelle ?

— Je dirais même que le fait d'avoir du talent peut jusqu'à un certain point vous nuire, ajouta le millionnaire.

— Ça me paraît un peu paradoxal, dit le golfeur.

— Pas si vous y réfléchissez. Parce que le talent, c'est un peu comme la fortune dont un homme hérite de ses parents. Bien souvent le fait d'hériter, d'être pour ainsi dire riche à la naissance, endort complètement en cet homme les qualités qui sont nécessaires pour faire fortune. Alors que bien des millionnaires ont connu des débuts extrêmement modestes, ont éprouvé d'innombrables difficultés. Et ce sont précisément ces difficultés qui ont aiguisé leur génie financier et qui leur ont permis d'aller beaucoup plus loin que celui qui a commencé dans la vie avec un million hérité de ses parents...

— Je pense que je commence à vous suivre...

— Bien sûr, dit le millionnaire, le talent est nécessaire, mais il n'est pas suffisant. À l'université, le joueur de talent gagne souvent trop facilement et, lorsqu'il arrive dans le circuit et subit ses premiers échecs, il est démuni, il n'est pas préparé. Et parfois tout s'écroule. Il n'a pas appris à exercer son talent et, surtout, à développer d'autres qualités personnelles plus essentielles au succès que le talent lui-même. Car le talent, c'est un peu comme un million de dollars que je déposerais dans votre compte en banque...

— Cela réglerait plusieurs de mes problèmes.

— Peut-être, concéda le millionnaire. Mais pourra-t-on dire pour autant de vous que vous êtes un homme à succès, que vous savez comment réussir, comment accroître ce capital d'un million qui se trouve providentiellement dans votre compte en banque ?

— Non.

— C'est la même chose avec le talent. Il faut le gérer, le faire prospérer. Commencez-vous à comprendre pourquoi jusqu'à maintenant vous n'avez pas réussi dans le circuit ?

— Oui, dit le golfeur avec un visage sombre, mais je dois vous avouer que cela me déprime un peu.

— Au contraire, vous devriez vous réjouir. Aujourd'hui est un grand jour pour vous. Car le premier pas vers le succès consiste bien souvent à découvrir ce qui nous a fait échouer jusque-là. C'est comme une épine que vous vous seriez plantée dans le pied il y a longtemps, si longtemps que vous croyez qu'elle fait partie de vous, de votre pied, comme un orteil supplémentaire, et que vous ne pouvez plus vous en débarrasser. Vous croyez même qu'il s'agit d'un défaut de naissance. Lorsque vous vous rendez compte que ce qui vous démange depuis des années est une épine, et surtout que vous pouvez la retirer de votre pied, ne croyez-vous pas que c'est une grande nouvelle ?

— Si du moins je réussis à la retirer...

— C'est beaucoup plus simple que vous ne pensez. Toutes les activités terrestres – tous les métiers – semblent variées et différentes, vues de l'extérieur, mais pour l'homme dont l'œil intérieur est ouvert, elles sont d'une certaine manière toutes identiques, car elles n'ont qu'un seul but, un seul rôle : apprendre à l'homme à maîtriser son esprit. Le sage Lao Tseu a dit : « Celui qui domine les autres est grand. Mais celui qui se domine lui-même est encore plus grand. » Pour cet homme, rien n'est impossible. Car celui qui maîtrise son esprit peut réussir dans tous les domaines. Alors si vous voulez devenir un grand golfeur, il faut que vous appreniez à maîtriser votre esprit. Il y a des centaines de joueurs qui peuvent frapper d'excellents coups dans des situations ordinaires, mais lorsque la compétition devient forte et que la pression monte, l'élan du golfeur dont l'esprit n'est pas suffisamment discipliné se détraque, et les erreurs coûteuses s'accumulent. Tous les grands joueurs le savent : quatre-vingt-dix pour cent du jeu est mental. Et on peut donc parfaitement dire du golf ce qu'on dit de la vie : qu'il est un état d'esprit.

Le golfeur était abasourdi. Cette affirmation lui paraissait trop simple pour être vraie.

— Contrôler mon esprit ? objecta-t-il. Mais je sais déjà comment...

— Non, parce que, lorsque vous serez maître de votre esprit, vous aurez une foi absolue et inébranlable en vous, autant comme golfeur que comme homme. Lorsque vous serez maître de votre esprit, vous verrez les blonds épis de la réussite au moment même où vous ensemencerez vos terres. D'ailleurs, au fond, si vous vous êtes résigné à devenir professeur de golf au lieu de faire de la compétition, n'est-ce pas parce que vous n'avez jamais cru que vous pouviez devenir champion ? Si vous y aviez vraiment cru, auriez-vous renoncé si tôt ?

Le golfeur ne disait rien. Le millionnaire poursuivit :

— Mais, dites-moi, quand avez-vous cessé de rêver ? Quand avez-vous renoncé à votre grand rêve de golfeur ?

— Il y a trois ans...

— Comment cela s'est-il passé au juste ?

— Oh, c'était lors de ma dernière tentative pour me qualifier en vue du circuit. J'avais très bien joué au cours des premières parties, et il me suffisait de faire une dernière partie de 72 pour obtenir ma carte. C'était d'autant plus facile que lors du premier neuf trous, j'avais inscrit 34. J'avais juste besoin d'un deuxième neuf trous de 38 et ça y était, j'avais ma carte. J'étais très excité. Pour la première fois de ma vie, mon rêve était à portée de ma main.

— Qu'est-ce qui est arrivé, alors ?

— Eh bien, la malchance s'est abattue sur moi au deuxième parcours de neuf trous.

— La malchance ?

— Je ne sais pas si c'est le bon mot, vous en jugerez par vous-même. Au dixième trou, une normale 5 de cinq cents verges, j'ai eu une décision à prendre pour mon deuxième coup : est-ce que je devais y aller pour le vert ou non ? Il y avait un danger, parce que le vert était protégé par un grand lac. Mais en prenant le vert en deux coups, j'étais presque assuré de faire un oiselet*, et mes chances de jouer 38 devenaient très grandes, presque certaines. J'hésitais encore cependant, parce que je devais tout de même parcourir deux cent vingt-cinq verges pour passer au-dessus du lac et atteindre le vert. Et si ma balle tombait à l'eau, je me retrouvais devant la possibilité de faire un boguey**. J'avais pris la décision de jouer prudemment et de placer ma balle à court du lac avec un fer n° 8 lorsque, dans la foule de plus en plus nombreuse qui me suivait, quelqu'un a crié : « Il n'a pas de couilles. Il va jouer *safe.* » Je me suis senti piqué, je me suis retourné et j'ai regardé le spectateur droit dans les yeux. Je n'oublierai jamais son regard. Un regard, comment dirais-je ?, mauvais. Pire que mauvais, qui incarnait le mal. J'ai senti curieusement que cet homme me détestait. C'est bizarre, je ne le connaissais pas, je ne l'avais jamais vu. J'ai décidé de le défier : « Regarde-moi aller ! » lui ai-je dit. Et j'ai demandé à mon cadet mon bois n° 4. Le spectateur a ajouté, avec un sourire ironique : « Tu vas lancer dans l'eau ! » J'ai été ébranlé, mais d'autres spectateurs excités par la vue de mon bois criaient : *« Go for it ! Go for it ! »* Je ne pouvais plus reculer. J'ai joué mon coup, que j'ai pris un peu gras, et ma balle a abouti dans l'eau. Je me suis

* Oiselet (*birdie*) : un coup sous la normale.
** Boguey : un coup au-dessus de la normale.

aussitôt mis en marche vers celle-ci, humilié, sans regarder ce spectateur qui m'avait provoqué. Avec un coup de pénalité, je me suis retrouvé sur le vert en quatre coups, mais j'avais un peu raté mon coup d'approche et j'ai fait trois coups roulés. Boguey double* ! C'en était fait de ma carte. À partir de là, j'ai perdu contenance, et aux six trous suivant j'ai fait trois bogueys. Lorsque je me suis ressaisi, il était trop tard. J'ai fait des oiselets aux deux derniers trous, mais j'ai fini avec un 73, ratant ma carte par un seul coup. J'en ai eu le cœur brisé...

— C'est intéressant, dit le millionnaire.

— Intéressant ? demanda avec étonnement le golfeur, qui s'attendait à plus de commisération de la part du vieil homme.

— Oui, ça confirme ce que je viens de vous dire. Ce n'est pas votre manque de talent qui vous a fait perdre, c'est un manque de contrôle de votre esprit. Si vous aviez maîtrisé votre esprit, vous ne vous seriez pas laissé influencer par ce spectateur, vous n'auriez pas laissé votre orgueil dicter le choix de votre bâton. Au golf comme en affaires, il faut être audacieux, certes, mais il faut aussi savoir évaluer un risque. Dans ce cas-là, comme vous n'aviez pas absolument besoin d'un aigle** ou d'un oiselet, vous avez tout risqué inutilement en tentant de prendre le vert en deux coups : donc vous avez commis une erreur mentale.

— Inutile de tourner le fer dans la plaie, dit le golfeur. Je me suis fait cent fois ce raisonnement depuis cette défaite crève-cœur.

Il y eut un bref silence, puis le millionnaire demanda :

---

* Boguey double : deux coups au-dessus de la normale.

** Aigle : deux coups sous la normale.

— Est-ce que vous l'avez revu ?

— Qui ?

— Le spectateur qui vous a jeté un sort...

— Un sort ?

— Oui, au fond c'est ce qu'il a fait. Lorsqu'il vous a prédit que vous lanceriez à l'eau, il vous a jeté un sort, comme le font d'ailleurs beaucoup de gens sans le savoir, et ce même s'ils prétendent nous aimer et vouloir notre bien. Les gens ne se rendent pas compte de la puissance des paroles. Et, pourtant, ce spectateur n'a eu besoin que de quelques mots, oui, seulement quelques mots pour gâcher le rêve de toute une vie...

Le golfeur ne disait rien, réfléchissant aux paroles du millionnaire. C'était la première fois que quelqu'un lui faisait prendre conscience, avec un exemple tiré de sa propre vie et que, par conséquent, il pouvait difficilement contester, de la puissance étonnante des mots...

Le millionnaire demanda de nouveau :

— Et puis, avez-vous revu ce spectateur malveillant ?

— Euh, oui... Dans le stationnement du terrain de golf, après la partie... Il avait l'air de m'attendre. Il fumait une cigarette, appuyé contre une voiture. Je suis passé près de lui en me détournant volontairement. Il a alors dit, d'une voix arrogante : « Tu ne devrais jamais parier contre moi. Ne sais-tu pas qui je suis ? »

Le récit du golfeur paraissait intéresser le millionnaire au plus haut point.

— Que lui avez-vous répondu ?

— Je l'ai envoyé au diable et j'ai continué mon chemin, refusant d'engager la conversation avec lui. J'avais envie de lui mettre mon poing dans la figure, mais pour une fois j'ai contrôlé mon esprit. Vous voyez que mon cas n'est pas tout à fait désespéré, ironisa le golfeur.

— Je n'ai jamais dit qu'il l'était. Je le trouve au contraire très prometteur. Lorsque je vous regarde, je ne vois pas seulement qui vous êtes, je vois aussi tout ce que vous pouvez devenir, et cela est très beau... Je sais qu'il y a en vous un grand, un très grand golfeur... Mais vous, vous ne le savez pas... Vous dormez ou, lorsque vous vous observez, vous regardez dans le mauvais miroir. Vous ne voyez qu'un petit golfeur raté, comme vous vous êtes présenté à moi lorsque nous nous sommes rencontrés... Mais lorsque vous verrez qui vous êtes vraiment, lorsque vous pourrez contempler votre véritable grandeur, votre vie sera transformée à tout jamais...

Le golfeur eut un sourire timide. Jamais personne ne lui avait tenu un tel discours. Pas ses parents en tout cas, ni ses professeurs ni même ses amis. Personne, sauf peut-être – il devait l'admettre – Clara... Clara qui croyait en lui depuis leurs débuts... Qui croyait en son talent et s'était même déclarée prête à subventionner ses nouvelles tentatives de qualification pour le circuit... Et lui avait tout détruit entre eux...

— Et ce spectateur, de quoi avait-il l'air ?

— Je... je n'ai guère porté attention à lui... J'ai seulement remarqué ses yeux...

— Rien d'autre...

— Non... Ou plutôt si, un détail... Oui, je me rappelle maintenant... Dans le stationnement, j'ai remarqué qu'il portait un curieux bracelet, très brillant... comme un bracelet de diamants...

Le millionnaire, qui laissait rarement paraître ses émotions, écarquilla les yeux avec une certaine surprise.

— Hier, dit-il, sur les lieux de votre accident, il y avait un homme qui portait un bracelet de diamants. Il a tenté de me dissuader de vous porter secours... comme s'il souhaitait que vous mouriez dans les flammes...

Le golfeur se sentit tout à coup mal à l'aise, comme il arrive lorsqu'on est brusquement mis en présence d'un phénomène étrange, qui dépasse notre entendement et qui semble relever d'un ordre différent de l'ordre habituel du monde. Bien sûr, il s'agissait peut-être d'une coïncidence, mais cet homme au bracelet de diamants n'était-il pas le même que ce spectateur qui l'avait fait échouer à la qualification ?

Si c'était le cas, il y avait de quoi s'affoler. Oui, c'était troublant de savoir qu'un inconnu cherchait à lui nuire, sans qu'il sût pourquoi...

— Enfin, dit le millionnaire, l'important est que vous soyez en vie et que nous soyons ensemble, n'est-ce pas ?

— C'est vrai. Mais il aurait fallu que je vous rencontre avant.

— Avant ? Pourquoi dire ça ? Ne croyez-vous pas qu'on rencontre toujours les gens au moment où il faut les rencontrer ?

— Peut-être en général, admit le golfeur, bien que je ne me sois jamais arrêté à y penser, mais je sens que je vous ai rencontré trop tard.

— À trente ans ? Trop tard ? Permettez-moi de rire ! Vous avez encore toute la vie devant vous... Et vous avez le talent, comme je vous disais tout à l'heure... Seulement, vous ne savez pas en tirer profit... Peut-être tout simplement parce que vous ne savez pas vous préparer à vos tournois. Comme le disait le philosophe chinois Sun Tzu : « Un grand guerrier est celui qui gagne le combat avant même d'affronter son adversaire. » Il en va de même du grand golfeur. Celui-ci sait qu'un tournoi de golf est un véritable combat. Pas tellement contre les autres golfeurs que contre lui-même. Et il se prépare en conséquence.

— Il y a un bout de temps que je ne me prépare plus. En fait depuis que j'ai renoncé à la compétition. Je n'ai pas besoin de beaucoup de préparation pour donner des leçons à des joueurs qui ont un handicap de 25...

— Mais avant, lorsque vous rêviez encore de jouer dans le circuit, vous deviez bien vous préparer...

— Oui...

— Comme nous sommes déjà sur le vert d'entraînement, montrez-moi comment vous vous exerciez...

Le golfeur haussa les épaules, comme s'il doutait du bien-fondé de cet exercice. Il aurait sans doute eu davantage envie d'aller jouer quelques trous, sur le terrain qui lui semblait magnifique, mais il n'y avait pas d'urgence. C'était le jeudi, son seul jour de congé au club de golf, et il pouvait profiter de la journée. De toute manière, qu'avait-il d'autre à faire ? Se morfondre en pensant à Clara ? Se chercher un appartement ?

À la réflexion, peut-être en effet aurait-il dû se mettre sans tarder en quête d'un logement, puisqu'il n'avait plus d'endroit où aller et qu'il ne profiterait pas indéfiniment de la providentielle hospitalité du millionnaire.

Et puis il y avait la question de sa Riviera, qui était complètement finie... Il fallait qu'il se trouve une autre voiture... Mais, bon, il pouvait s'occuper de cela plus tard...

— Commencez à vous exercer, suggéra le millionnaire, je reviens dans une minute...

4

Où le golfeur apprend la vraie manière de s'exercer

Lorsque le millionnaire revint au vert d'entraînement, quinze minutes plus tard, le golfeur avait déjà fait une bonne cinquantaine de roulés, variant les distances, les courbes, avec une nonchalance amusée. Le millionnaire l'observa quelques instants, sans rien dire, en restant un peu à l'écart, puis, d'une manière qui surprit le golfeur, il se dirigea vers le gros chêne qui poussait près du vert et y jetait d'ailleurs son ombre à certaine heures du jour, et se mit à lancer des dards vers le tronc.

Le golfeur haussa les sourcils. Il attendit quelques secondes, fit quelques coups roulés puis, n'y tenant plus, il renonça à s'exercer et s'approcha du millionnaire.

— Est-il impoli de vous demander ce que vous faites ?

— Je fais la même chose que vous.

— La même chose ?

— Oui, exactement la même chose. Je ne m'entraîne pas plus au golf que vous... Vous ne vous entraînez pas vraiment. En fait, vous vous entraînez seulement à moitié. Et s'entraîner à moitié ne donne que des demi-résultats. Pas étonnant que vous ne gagniez pas plus souvent...

— Je ne suis pas sûr de vous comprendre...

— Je vais essayer de vous expliquer... Il y a deux manières de s'exercer aux coups roulés. La première, qui ressemble en gros à celle que vous utilisez actuellement, permet de développer sa touche et son *feeling* pour la distance. C'est un bon entraînement mais il ne suffit pas. En tout cas certainement pas pour remporter des tournois. Et il y a la deuxième...

Le millionnaire n'en dit pas plus, laissa ses dards plantés dans le chêne et marcha vers le vert d'entraînement, récupérant au passage son *putter* qu'il avait laissé sur la frise. Là, il tira de sa poche une craie avec laquelle il traça un trait d'environ un pied. Le golfeur pensa qu'il cherchait à établir la trajectoire de la balle, pour un éventuel coup roulé.

— Comment puis-je faire pour raccourcir ce trait sans y toucher ? interrogea le millionnaire.

— Je... je ne sais pas, dit Robert, qui se demanda en quoi cette devinette avait un rapport avec le golf. Aucune idée, ajouta-t-il après quelques secondes de réflexion.

Le millionnaire ne le fit pas languir trop longtemps. Il se pencha et traça, juste à côté du premier, un second trait, celui-ci de deux pieds, si bien qu'automatiquement le premier trait parut avoir rétréci.

— En effet... admit le golfeur.

Le millionnaire, à l'aide de son *putter*, poussa alors une des balles sur le vert, la plaça à trois pieds du trou, ce qui constituait un coup roulé parfaitement droit et légèrement en montant, somme toute, du moins pour un joueur du calibre de Robert, un roulé facile d'autant que le vert était parfaitement entretenu. Puis le millionnaire se pencha et fit une petite marque de craie sur le vert, juste derrière la balle. Il se redressa et dit :

— Je vais vous poser une autre devinette. Comment pouvez-vous faire pour allonger ce coup roulé sans déplacer votre balle ?

— Si je suis le raisonnement des deux lignes... dit le golfeur.

Il n'acheva pas sa phrase mais, à la place, prit une balle et la plaça à un pied et demi du trou.

— Voilà ! dit-il. Maintenant mon coup roulé est plus long que, disons, celui de mon adversaire qui vient de réussir un meilleur coup d'approche que le mien...

— Excellente réponse ! concéda le millionnaire. Mais ce n'est pas celle que je cherchais.

Il tira alors de sa poche un billet de banque.

— Je vous parie mille dollars que vous allez rater ce coup roulé...

Robert le regarda avec un sourire à la fois surpris et amusé.

— Écoutez, j'ai peut-être raté les qualifications de la P.G.A., mais je suis tout de même un professionnel de golf, et des roulés de trois pieds, surtout lorsqu'ils sont droits, je peux en faire vingt d'affilée... Je ne voudrais pas vous faire perdre mille dollars pour rien... C'est une somme...

— Je suis quand même prêt à la parier... Si du moins vous me permettez de prendre ma revanche deux ou trois fois...

Sans trop comprendre ce que le millionnaire voulait dire, Robert acquiesça :

— Si vous insistez...

Il se mit en position, vérifia un instant qu'il n'y avait pas une petite courbe cachée dans le vert et, comme il ne semblait pas y en avoir, il esquissa un sourire discret, savourant à l'avance sa victoire – et son gain ! Puis il s'aligna et frappa fermement la balle, qui disparut au milieu de la coupe. Il se tourna vers le millionnaire, avec l'air de dire : « Je vous avais prévenu ! »

Sans perdre le sourire ni broncher, le millionnaire lui remit comme convenu le billet de mille dollars, que le golfeur empocha aussitôt, se félicitant secrètement d'un gain aussi rapide et facile. Le millionnaire prit une autre balle avec son *putter* et la plaça juste devant la petite marque qu'il avait tracée sur le vert.

— Je vous propose un autre pari. Dix mille dollars que vous ratez ce roulé...

— Dix mille dollars ?

Comment reculer ? N'avait-il pas en effet donné sa parole ? Évidemment il ignorait que le millionnaire, en homme futé, hausserait le pari en le multipliant par dix... Mais il n'avait pas demandé de précisions, alors il était lié par sa parole...

Nerveux, résigné, le golfeur se plaça mais, au moment d'exécuter son coup, il pensa : « Si je rate mon coup, où prendrai-je l'argent pour payer ce pari ? »

Puis il se dit : « De toute manière, je ne peux pas le rater... » Et aussitôt surgit une autre pensée, car l'enjeu avait activé la machine à réfléchir en lui : « Mais il m'est arrivé de rater des coups roulés de deux pieds, même d'un pied et demi... »

Il chassa aussitôt ces pensées. Il ne pouvait plus reculer. Il regarda bien sa ligne, se répéta qu'il ne devait pas lever la tête, ce qui lui arrivait souvent pour des roulés courts dans des situations où la pression était forte, et il se rassura en pensant qu'il venait de faire le même roulé et que, par conséquent, celui-ci ne pouvait lui réserver aucune surprise, ce qui arrive parfois lors d'une première tentative. Réconforté, il allait exécuter son coup lorsqu'il releva la tête :

— Une question. J'espère que vous n'avez pas l'intention de parier jusqu'à ce que vous finissiez par gagner, parce que évidemment, statistiquement, à l'infini, et même un peu avant, je finirai par rater ce coup roulé...

Le millionnaire éclata de rire :

— Non, non, rassurez-vous.

— Bon, dans ces conditions...

Le golfeur prit bien son temps, examina à plusieurs reprises la trajectoire et finit par frapper la balle mais, dans son impatience, il leva un peu rapidement la tête pour voir s'il réussirait son roulé, ce qui fait que la balle partit de manière inquiétante vers le côté gauche du trou.

Un instant, il crut qu'il avait raté son coup, et son inquiétude ne s'apaisa pas lorsque la balle atteignit le côté gauche de la coupe, se mit à tourner et fit un demi-cercle avant de s'arrêter du côté droit du trou. Mais après une fraction de seconde d'immobilité, elle disparut enfin dans la coupe, au grand soulagement du golfeur. Il soupira, livide. Cette fois-ci, il avait bien failli manquer sa cible, malgré la facilité du coup.

Il laissa échapper un rire nerveux, qu'il réprima. Il ne voulait pas se montrer triomphaliste, d'autant qu'il arrachait ainsi dix mille dollars de plus au millionnaire. Beau joueur, ce dernier s'empressa de les lui remettre, comme s'il s'agissait d'une somme dérisoire pour lui, ce qui était probablement le cas vu l'étendue de sa fortune.

Contrôlant difficilement un léger tremblement de ses mains, le golfeur plia les billets et les empocha avec fierté. De toute sa vie il n'avait gagné autant d'argent en si peu de temps – et si facilement !

— Maintenant, dit le millionnaire, un dernier pari, puis on arrête. Cent mille dollars que vous ratez ce coup roulé.

Sans attendre la réponse du golfeur, il récupéra la balle et la replaça au même endroit, juste devant la marque sur le vert.

— Cent mille dollars? s'exclama Robert, plutôt ébranlé.

— Oui, dit calmement le millionnaire.

Animé de sentiments contradictoires, Robert eut de la difficulté à avaler sa salive tellement sa gorge était sèche. Cent mille dollars! Jamais il ne s'était trouvé dans une situation où il pouvait gagner autant d'argent. Mais s'il ratait? Où prendrait-il cent mille dollars? Ne s'endetterait-il pas pour les dix prochaines années?

Mais, de nouveau, il sentait qu'il ne pouvait se défiler... Il fallait faire face à la musique... Après tout, ce n'était qu'un roulé de trois pieds, qu'il venait d'ailleurs de réussir deux fois d'affilée... D'accord, la deuxième fois, son impatience lui avait fait lever la tête un peu vite, et il avait tiré son roulé*... Mais il ne referait pas cette erreur...

Il se mit en position, aligna son coup roulé, et il allait entamer son élan arrière lorsqu'une nervosité incontrôlable s'empara de lui. Il se rendait compte, soudain, que ce coup roulé pouvait le ruiner. Cent mille dollars... cent mille dollars...

Les chiffres s'étaient mis à danser dans son esprit. Des gouttes de sueur perlaient sur son front. Et il réalisa qu'il ne respirait pratiquement plus depuis une dizaine de secondes. Il retenait son souffle. Il le laissa aller et prit une profonde inspiration pour se calmer. Cent mille dollars... cent mille dollars... De quoi être renfloué pour quelques

* Tirer un roulé : le rater du côté gauche.

années... Mais de quoi aussi se trouver dans une situation fort délicate, premièrement dans l'obligation d'emprunter... Et d'ailleurs, avec le peu de crédit dont il jouissait, la banque accepterait-elle de lui prêter pareille somme ? Cent mille dollars... Le montant revenait comme une litanie dans son esprit...

Trois pieds... Un simple roulé de trois pieds, et il s'enrichirait de cent mille dollars ! Ses mains tremblaient maintenant, devenaient moites... Il était paralysé.

Dans son agitation mentale grandissante, il se mit à penser que le coup roulé n'était pas aussi droit qu'il l'avait d'abord évalué. Il n'avait réussi le premier coup roulé que grâce à la chance. Il y avait une courbe secrète dans le coup, et c'était précisément cette courbe qui avait failli lui faire rater le dernier coup roulé.

Des souvenirs désagréables, dont certains étaient traumatisants, refirent alors surface dans son esprit. Il se remémorait soudainement d'autres coups roulés qu'il avait manqués, des roulés du même genre, aussi faciles, parfois même plus courts...

Mais il se ressaisit. Il ne pouvait tout de même pas faire poireauter indéfiniment le millionnaire, qui devait déjà le trouver ridicule d'agoniser ainsi au-dessus d'un simple coup roulé de trois pieds... Et puis il savait par expérience que plus il attendait, plus le roulé lui semblerait difficile et long, plus la peur le gagnerait, raidirait ses muscles, affecterait son jugement et minerait sa confiance, si capitale sur les verts...

Il regarda de nouveau la cible, se dit qu'il se faisait toute une montagne de ce coup roulé, et qu'il devait foncer, foncer... Il amorça son élan arrière, mais il était si nerveux que son bâton partit vers l'extérieur ; il eut heureusement le réflexe salutaire d'interrompre son mouvement avant de frapper la balle...

Un peu honteux, la tête basse, sans oser affronter le regard du millionnaire, il tenta de reprendre son calme, recula pour refaire quelques coups d'exercice. Mais ses tremblements n'avaient pas cessé... Jamais de sa vie il ne s'était senti aussi mal à l'aise.

Le millionnaire l'observait attentivement, sans faire le moindre commentaire et sans que son visage trahît ses pensées. Pourtant, il savait parfaitement ce qui se passait dans la tête – et le corps – du golfeur.

Quelque chose de pire encore que la paralysie ou le doute gagnait insidieusement ce dernier. Une certitude horrible : il raterait le roulé ! Oui, il en était de plus en plus sûr, il raterait ce coup roulé et perdrait cent mille dollars !

Un malaise traversa son ventre et devint presque une crampe : son estomac réagissait violemment à la tension. Il n'avait jamais subi un tel stress ! Il regarda la coupe, puis la balle, puis de nouveau le trou, et il lui sembla que sa vue se brouillait, que le trou devenait de plus en plus lointain, et surtout de plus en plus petit...

Ce fut le millionnaire qui mit fin à cet intolérable suspense avant que le golfeur se fût replacé en position de frapper la balle. En effet, d'un simple coup de revers de son *putter*, il cala le coup roulé. Il venait du même coup de résoudre le terrible – et quasi insurmontable – dilemme du golfeur... Un gain ou une dette rapide de cent mille dollars !

— Savez-vous maintenant comment faire pour allonger un coup roulé sans y toucher ?

Le golfeur venait de saisir. Toute cette histoire de paris progressifs n'était qu'une explication de la devinette que le millionnaire lui avait posée un peu plus tôt !

Le golfeur était soulagé. Il n'avait pas eu à faire ce coup roulé de cent mille dollars. Mais, en même temps, il était déçu de lui. Il aurait dû frapper plus tôt, tenter sa chance. Qui sait, il aurait peut-être réussi...

— Est-ce que vous comprenez maintenant quand je dis que je fais la même chose que vous en lançant des dards ?

— Oui, dans le fond je ne m'entraînait pas vraiment... Parce que, dans un tournoi, les coups roulés de trois pieds deviennent subitement beaucoup plus longs, comme dans ce pari de cent mille dollars.

— Lorsque vous aurez à faire un coup roulé de trois pieds pour gagner votre premier tournoi, ou pour remporter le *U.S. Open*, vous verrez que la pression sera encore plus grande que pour ce pari amical de cent mille dollars et que vous perdrez inévitablement vos moyens si vous ne vous êtes pas exercé de manière plus sérieuse... Le premier entraînement est pour ainsi dire l'entraînement du corps. C'est celui que vous faisiez. Il est surtout utile pour votre mémoire musculaire, la mémoire qui vous permet de prendre chaque fois la même position, de répéter rigoureusement le même mouvement, de développer la touche pour la distance... J'admets d'ailleurs que cet entraînement est nécessaire et qu'il est difficile d'acquérir une bonne touche sans la répétition... Mais en ce qui a trait à la ligne, et surtout à la capacité de faire des roulés sous pression, il faut que vous recouriez à la seconde sorte d'entraînement, que j'appellerais l'entraînement de l'esprit. À trois pieds, à cinq pieds, dans une situation de pression, ce n'est plus le corps qui compte, c'est l'esprit. C'est surtout la capacité du golfeur de contrôler son esprit, comme je vous l'expliquais au début.

— D'accord, mais cela ressemble un peu au problème de l'œuf et de la poule, à une situation sans issue. Comme lorsqu'un jeune veut obtenir son premier emploi. On lui demande d'avoir de l'expérience avant de l'engager, mais il ne pourra pas acquérir d'expérience tant qu'il n'aura pas décroché un premier emploi. Si bien qu'il ne s'en sortira jamais...

— C'est juste, c'est très juste... dit le millionnaire, qui était charmé par la faculté de raisonner du golfeur. Rien ne peut vraiment remplacer la véritable expérience du joueur qui se retrouve le dimanche après-midi, au dix-huitième trou, à Augusta, avec une avance d'un coup... Et c'est justement pour cette raison qu'il faut recourir à l'entraînement de l'esprit... À défaut de pouvoir vous retrouver le dimanche après-midi au tournoi des maîtres, du moins pour le moment, il faut que vous vous habituiez à agir comme si vous y étiez... Dans une partie de vos exercices, il faut que vous fassiez comme si vous étiez en plein milieu d'un tournoi important... Il faut que vous vous serviez de votre imagination, que vous agissiez comme si le roulé que vous vous apprêtez à faire était un coup de deux cent cinquante mille dollars... Non seulement un coup de deux cent cinquante mille dollars mais un coup qui vous permettra de remporter votre premier tournoi majeur... Il faut que vous voyiez la foule autour du vert, que vous voyiez le tableau de pointage avec votre nom en tête... Il faut que vous sentiez la pression... Il faut que vous compreniez que ce coup roulé de trois pieds est pour ainsi dire une question de vie ou de mort... C'est ainsi que pensent les grands golfeurs... Si vous n'y parvenez pas, vous perdrez tous vos moyens lorsque vous vous trouverez dans une telle situation, si d'ailleurs vous pouvez jamais vous y rendre...

— C'est vrai que je ne me suis jamais exercé dans cet état d'esprit...

— Un jour, poursuivit le millionnaire, un amateur demanda au grand Jack Nicklaus s'il lui arrivait de jouer des parties juste pour s'amuser... Il répondit – et sa réponse ne surprendra pas celui qui connaît la psychologie des grands champions – qu'il ne jouait jamais pour s'amuser mais toujours pour gagner, même dans un match amical... Il a également confié qu'il ne joue jamais un coup, sur le parcours ou sur le terrain d'exercice, sans lui accorder toute son attention et sans répéter exactement les mêmes gestes. Il ne fait pas deux choses, comme vous tout à l'heure. Il répète toujours le même geste, avec la même attention... Je sais bien que, malgré toute l'imagination dont il peut disposer et sa faculté de faire *comme si,* un golfeur ne peut pas accorder autant d'importance à un simple coup roulé d'exercice qu'à un coup qui lui vaudra deux cent cinquante mille dollars ou le veston vert des maîtres....

— Ce n'est pas évident d'y arriver, en effet... J'ai beau me mettre dans cette situation, rationnellement, je sais que ce n'est pas un coup capital, et que si je le rate, ma vie n'en souffrira pas...

— Il y a un truc que vous pourriez utiliser et qui vous fera un peu souffrir, si vous ratez votre coup... C'est un des trucs qu'utilise Greg Norman lorsqu'il pratique ses coups roulés... Pour s'habituer à créer une tension, un défi, pour développer sa confiance – et se faire un peu souffrir s'il rate son coup – le grand Requin blanc dispose vingt-cinq balles en cercle autour du drapeau, en commençant par des roulés de deux pieds. Et il refait l'exercice jusqu'à ce qu'il ait réussi à caler les vingt-cinq coups roulés de deux pieds. S'il rate le vingt-troisième ou le vingt-quatrième, ce n'est pas bon, il doit recommencer à zéro... Une fois qu'il a réussi vingt-cinq coups roulés à deux pieds, il fait un nouveau cercle, à trois pieds... Il dit que, dans ses bonnes journées, il peut se rendre ainsi jusqu'à un cercle de six pieds... Lorsqu'il arrive au vingt-quatrième ou au vingt-cinquième coup roulé de six pieds, et qu'il sait qu'il ne quittera pas le vert avant d'avoir réussi sa série de vingt-cinq coups, la pression n'est peut-être pas aussi forte que pour un coup roulé au dix-huitième trou du *U.S. Open*, mais au moins il y a une pression. Je crois que c'est une excellente manière de faire « comme si »...

« En tout cas, comme l'avoue Greg Norman, lorsqu'il lui arrive de réussir vingt-cinq coups roulés d'affilée de six pieds, il quitte le vert d'entraînement avec une confiance extraordinaire... Pourquoi ne pas intégrer cette habitude dans votre entraînement ? Une chose est sûre, pour gagner, il faut penser en champion... Il faut acquérir l'esprit d'un champion, qui ne pense pas comme un joueur ordinaire. Un champion cherche, analyse, s'interroge.

« Un champion tient compte de détails qui paraissent anodins aux autres... En un mot, il ne s'exerce pas seulement physiquement, mais il met tout son cœur, toute son attention, tout son esprit dans son métier... Car il sait qu'à talent égal, c'est toujours le joueur qui pense le mieux qui l'emportera...

« Tous mes amis millionnaires – et j'ai la chance d'en compter des dizaines et des dizaines – sont animés de cette même passion, de cette même attention aux détails...

« L'esprit continuellement en éveil, ils ne traversent pas la vie comme la majorité des gens, c'est-à-dire comme des somnambules, qui vivent dans une torpeur constante, se nourrissent d'idées reçues et de préjugés et passent des centaines d'heures par année écrasés devant un téléviseur au lieu de se demander ce qu'ils pourraient faire pour améliorer leur sort...

« Les gens qui ont eu du succès étudient constamment, ils cherchent continuellement à apprendre des choses nouvelles, à s'améliorer, à découvrir des principes secrets, des règles cachées, à consulter d'autres gens qui ont connu le succès et qui peuvent enrichir leur expérience, leur connaissance d'un domaine...

« Ils ne tiennent rien pour acquis, ne craignent pas de tout remettre en question... Dans un problème, ils ne voient pas un obstacle mais le stimulant de leur créativité, la nourriture de leur passion et de leur patience infatigable...

« Un ami m'a récemment invité à jouer en Floride au club Indian Creek, où est membre Ray Floyd. Lorsque nous avons commencé, Ray Floyd, qui était sur le vert d'entraînement, alignait un roulé de huit pieds... Lorsque nous avons fini notre premier neuf trous, deux heures plus tard, il s'exerçait toujours au même coup roulé de huit pieds... Son cadet nous l'a confirmé...

« Deux heures, sans interruption... Je ne sais pas ce qui se passait dans son esprit pendant ces deux heures, mais il se passait sûrement autre chose que ce qui remplissait votre esprit alors que vous frappiez nonchalamment vos coups roulés...

« Comme Ernest Hemingway réécrivant soixante fois la première page de son chef-d'œuvre *Le Vieil Homme et la Mer*, comme Edison tentant dix mille expériences avant d'inventer l'ampoule électrique, il refaisait inlassablement le même coup, pour y trouver une vérité, une loi, pour accéder à cette grâce supérieure et pour ainsi dire céleste, à cette magie qui habite le golfeur et qui enchante les amateurs dans les grands tournois.

« Il cherchait à séduire la déesse de la chance, à l'apprivoiser, car comme l'a dit le grand Gary Player : "Plus je m'exerce, plus je suis chanceux !"

« Comme un alchimiste dans son laboratoire – et le terrain d'exercice est littéralement le laboratoire du golfeur – il cherchait à transformer le plomb en or et, par la même occasion, à accomplir ou à maintenir la merveilleuse transformation intérieure qui lui a permis de gagner tant de championnats...

« C'est ce que j'appelle la véritable attention, la véritable passion... C'est ce que j'appelle le véritable entraînement : l'entraînement de l'esprit... »

Le millionnaire se tut, et le golfeur, ému par une telle envolée, n'osa pas rompre ce silence.

— Mais venez, dit enfin le millionnaire. S'entraîner est important, primordial même, mais il ne faut pas oublier que le golf est d'abord et avant tout un jeu, et qu'il faut s'amuser. Allons jouer un neuf trous...

Et sur ces mots, il se dirigea vers le premier tertre de départ, d'un pas vif qui étonna le golfeur pour un homme de son âge. On aurait dit qu'il gambadait, qu'il sautillait comme un jeune homme surexcité à l'idée de jouer sa première partie de golf, de frapper son premier coup de départ après un trop long hiver... Le préposé à l'entretien les suivait à quelque distance, portant à l'épaule deux sacs.

Le golfeur dut presser le pas pour rattraper le millionnaire. Une question avait surgi dans son esprit.

— Je vois qu'il n'y a pas beaucoup de monde sur le terrain, mais ne faut-il pas demander un temps de départ ?

Avec un petit sourire ironique, le millionnaire se tourna vers celui qui était devenu leur cadet et qui les avait rejoints :

— Croyez-vous que nous ayons besoin d'un temps de départ ce matin, mon ami ?

Retenant un fou rire, le cadet répliqua :

— Non, je ne crois pas...

— Je pense que... je viens de comprendre pourquoi on vous appelle le millionnaire, dit le golfeur. Le terrain de golf est à vous, n'est-ce pas ?

— Je le possède peut-être, mais je ne l'ai jamais maîtrisé. C'est un bon défi de golf, vous allez voir...

Un peu confus, le golfeur regarda le cadet, qui souriait, amusé. Ce ne devait pas être la première fois que le millionnaire médusait ainsi des invités !

5

Où le golfeur découvre quelques mystères du golf

Le golfeur et le millionnaire arrivèrent au tertre du premier trou. Le millionnaire invita le golfeur à frapper le premier, mais ce dernier insista pour lui laisser les honneurs.

Sans se faire prier, le millionnaire, sous les yeux curieux du golfeur, plaça sa balle sur son té de manière très précautionneuse, comme si la hauteur de la balle était pour lui extrêmement importante. Puis il recula et sembla chercher un point au loin, au centre de l'allée. Il s'installa ensuite, se concentra un instant, puis frappa avec fluidité et la balle fendit les airs, tomba en plein milieu de l'allée avant de s'immobiliser à une distance que le golfeur estima à vue de nez à deux cent vingt, peut-être même deux cent trente verges, une distance fort respectable pour un homme de cet âge.

— Beau coup, commenta le golfeur.

— Merci, dit le millionnaire, qui se pencha pour récupérer son té.

Le golfeur n'avait peut-être pas été humilié par la petite leçon de golf qu'il venait de recevoir sur le vert d'entraînement, mais son orgueil avait été piqué, et il voulait montrer au millionnaire quel golfeur il était. Et il frappa un formidable coup de départ qui atteignit presque trois cents verges, en plein centre de l'allée.

— Oh ! Très impressionnant ! le félicita le millionnaire. Qu'est-ce que vous avez mangé pour déjeuner ?

— La même chose que vous, dit le golfeur.

Il chercha un instant son té, qu'il ne trouva pas, puis se mit en marche silencieusement, juste un peu en retrait du millionnaire, dont il pouvait admirer le visage calme et souriant. Le millionnaire arriva bientôt à sa balle, ne prit que quelques secondes pour se préparer et frappa un élégant coup de fer n° 6 ; la balle s'arrêta à environ dix pieds du drapeau.

— Beau coup ! répéta le golfeur, impressionné par l'adresse du millionnaire.

— Merci, dit ce dernier sans triompher et sans manifester la moindre émotion, comme s'il réalisait ce coup tous les jours.

Le golfeur arriva enfin à sa balle, qui n'était qu'à une centaine de verges du vert, protégé par une fosse béante. Il sélectionna un *wedge,* qu'il employa cependant un peu mollement, si bien que sa balle aboutit dans le sable.

— Merde ! ne put-il s'empêcher de laisser tomber, tout en regrettant immédiatement ce juron un peu familier.

— Qu'est-ce qui s'est passé ? demanda le millionnaire.

— J'ai joué un peu mollement, dit le golfeur.

— J'ai bien vu. Mais ce que je vous demande, c'est pourquoi ?

— Oh, je ne sais vraiment pas... J'ai fait un mauvais coup, un point c'est tout.

— Il ne faut pas vous contenter d'une telle réponse. Il faut que vous alliez plus loin. Parce que tous ceux qui ont réussi, peu importe le domaine, ont appris à penser au-delà des apparences et des idées reçues. C'est peut-être pour cela d'ailleurs qu'on les appelle des *self-made men.*

Ce serait d'ailleurs plus juste de les appeler des *self-thinking men*. Des hommes – ou des femmes bien entendu – qui ont appris à penser par eux-mêmes, ce qui a été la clé de leur succès et de leur fortune.

Après une brève pause, le millionnaire reprit :

— Alors, réfléchissez, faites un nouvel effort, et dites-moi : qu'est-ce qui s'est passé pour que vous ratiez ce coup ?

— Je... Honnêtement, je ne me suis jamais arrêté à cet aspect du jeu...

— Bon, je vais vous aider un peu. Je crois que vous avez simplement cédé à un des états sombres du golfeur.

— Les états sombres du golfeur ? demanda Robert, intrigué par cette expression qu'il entendait pour la première fois.

— Oui. Les états sombres du golfeur. Je vous ai expliqué plus tôt que, pour devenir un grand golfeur, un joueur doit avant tout apprendre à contrôler son esprit. Eh bien, l'esprit du golfeur se compose de deux types d'états distincts et opposés : les états sombres et les états brillants. Plus un golfeur cultive ses états brillants, en éliminant du même coup ses états sombres, et plus il se met à gagner. Gagner à un haut niveau de compétition est difficile, je le reconnais. Mais en même temps c'est facile. Parce que lorsque le golfeur parvient, par son ascèse, par sa discipline, par la surveillance constante de ses émotions et de ses pensées, à exalter en lui les états brillants, alors le golf devient un jeu, et la victoire est à portée de sa main. Le champion se rend compte alors qu'il a gagné la plus grande, la plus difficile des parties. En se débarrassant de ses états sombres, il est devenu maître de lui-même.

— Vous m'intriguez. Que sont au juste les états sombres du golfeur ?

— Ce sont toutes les tendances anciennes, toutes les habitudes négatives et souvent inconscientes qui empêchent le golfeur de bien jouer et sont responsables de presque tous les mauvais coups. C'est d'ailleurs pour cette raison, entre autres, que la plupart des joueurs jouent différemment sur le terrain d'exercice et sur le parcours... Sur le terrain d'exercice, les états sombres du golfeur se manifestent moins aisément... Mais sur le terrain, et surtout sous pression, ils apparaissent comme une véritable armée, comme un troupeau affolé... Alors, comme ces états sombres se chevauchent, le résultat est en général catastrophique... Par exemple, après avoir frappé votre coup de départ tout à l'heure, vous avez réagi comme réagissent tant de golfeurs après un coup de départ remarquable... Vous avez cédé à l'état sombre du golfeur qu'on appelle l'orgueil... Et aussi, sans doute, avez-vous fait preuve d'une certaine distraction... Par conséquent, vous avez raté votre coup suivant, qui constituait pourtant une approche relativement facile pour un joueur de votre calibre...

— J'admets que je ne me suis peut-être pas suffisamment concentré, que j'ai pu être nonchalant, mais je ne comprends pas comment j'aurais pu pécher par orgueil...

— Sans que vous vous en rendiez compte, votre magnifique coup de départ a flatté votre orgueil et vous a fait baisser votre garde. Il a aussi apaisé en vous une soif très mystérieuse, une soif qui, d'ailleurs, est peut-être à l'origine de la fascination que le golf exerce sur des millions d'hommes et de femmes dans le monde.

— Je suis intrigué... Il y a près de vingt ans que je joue, et je ne crois pas avoir encore percé le mystère de cette fascination. Qu'est-ce que c'est, au juste ?

Fidèle à son habitude – et imitant peut-être inconsciemment en cela Socrate, son plus ancien maître à penser –, le millionnaire répondit à la question par une autre question.

— Avez-vous remarqué quel est le commentaire qui revient le plus souvent sur les lèvres des golfeurs ?

— Euh, non...

— C'est : « Beau ! » Dès qu'un joueur fait un bon coup, ses partenaires le félicitent en disant : « Beau coup ! » Ou : « Elle est belle ! » Ou encore : « C'est une beauté ! » Bien sûr, on dit aussi : « Super ! Excellent ! Bon ! » Mais c'est l'adjectif « beau » qui revient le plus souvent... Après un coup de départ exceptionnel, on rate souvent le coup suivant parce que notre coup de départ a flatté notre orgueil et satisfait notre soif de beauté.

— Et une fois qu'on a bu un verre d'eau, on n'a pas nécessairement envie d'en prendre un deuxième d'affilée.

— Tout juste, approuva le millionnaire.

— Et c'est sans doute pour cette raison que ce sont rarement les plus longs frappeurs qui gagnent les compétitions.

— Exactement. En plus, le fait de frapper fort alimente cet état sombre du golfeur qu'est l'orgueil en flattant son sentiment de puissance. Frapper fort, c'est prouver qu'on est un homme. Cela relève de ce que les Chinois appellent le yang, le principe masculin. Le yang est le principe de l'air, de l'abstraction, de l'idéal. Alors que le coup roulé et les coups d'approche relèvent du ying, le principe féminin, le principe de la terre, de ce qui est concret. D'ailleurs, si on y pense, le coup de départ est déjà aérien... au départ ! La balle en effet ne touche pas le sol mais est soulevée sur un té. C'est aussi pendant le coup de départ que la balle parcourt la plus grande distance dans les airs, sans être soumise aux imperfections de la terre. Tandis que le coup roulé est le moins abstrait des coups, c'est celui qui est le plus soumis aux contingences terrestres. Sa trajectoire, par conséquent, est beaucoup plus improbable, imprévisible que celle du coup de départ qui voyage dans les airs, avec une sorte de perfection abstraite.

— C'est peut-être pour cela que les joueurs vraiment machos ne réussissent jamais à devenir de grands joueurs...

— Précisément, car le joueur complet, comme d'ailleurs l'homme complet, est celui chez qui le yin et le yang sont parfaitement équilibrés, chez qui, en un mot, le principe masculin et le principe féminin jouent chacun leur rôle dans une parfaite harmonie. Pour devenir grand, un golfeur doit certes admirer la puissance de ses coups de départ, mais il doit aussi découvrir la beauté plus mystérieuse, plus imprévisible et plus secrète des coups roulés et des petits coups d'approche...

— Comme a déjà dit Jack Nicklaus d'un autre joueur, il ne faut pas avoir un bois n° 1 d'un million de dollars et un *putter* d'un dollar.

— Exactement.

Les deux hommes arrivaient maintenant sur le vert. Le golfeur descendit dans la fosse, réussit plus ou moins bien sa sortie et se garda un roulé d'une dizaine de pieds. Le millionnaire réussit son roulé d'oiselet, et le golfeur, malgré son application, rata son coup roulé, qui lui aurait assuré une normale, et se garda un peu de travail pour son boguey : un roulé de deux pieds et demi en descendant, avec une courbe accentuée, qu'il rata également, malgré ses plus savants calculs. Boguey double ! Ce qui n'eut rien pour le mettre de bonne humeur, surtout après son coup de départ spectaculaire.

6

Où le golfeur apprend à ne pas se laisser influencer par les événements

Dans une réflexion mémorable mille fois citée, Shakespeare a dit : « Tout est bien qui finit bien ! » Au golf, on pourrait dire, à l'opposé, que tout est mal qui commence mal. C'est en tout cas ce qu'aurait pu affirmer le golfeur, car au trou suivant, même si l'allée était très large et sans danger, il poussa son coup de départ vers la droite, dans l'herbe haute.

— Comment se fait-il que vous ayez frappé un si mauvais coup ? Tout à l'heure, sur le terrain d'exercice, vous avez réussi tous vos coups de départ...

— Je ne sais pas, dit le golfeur, il y a des journées comme ça...

— En fait, dit le millionnaire, vous vous êtes laissé envahir par un autre état sombre du golfeur. Vous avez manqué de fermeté. Vous n'avez pas réussi à ne pas vous laisser influencer par les événements et, en l'occurrence, par le dernier trou. Au lieu de décider comment vous penseriez, vous avez laissé les événements vous dicter votre conduite.

— Je sais, mais c'est humain, objecta le golfeur, encore dégoûté par son piètre coup de départ. Quand on commence une partie avec un double, c'est normal de se sentir un peu contrarié...

— C'est peut-être normal, mais le grand golfeur ne pense pas ainsi. Il ne se laisse pas influencer par le dernier trou, surtout si celui-ci est mauvais. Il faut que vous décidiez une fois pour toutes qui est le maître : vous ou le mauvais trou que vous venez de jouer. Impossible de gagner en pensant autrement, car il suffit d'un mauvais trou, d'un vert de trois roulés au début de la partie, et votre partie est à l'eau.

— C'est drôle que vous mentionniez cela, admit le golfeur, parce qu'il m'est souvent arrivé de me laisser décourager par un mauvais premier trou et de ne m'en remettre qu'après trois ou quatre trous...

— C'est ainsi qu'on perd un tournoi, parce que les trois ou quatre mauvais trous qui suivent suffisent à hypothéquer votre partie... Le grand joueur cultive constamment cet état brillant du golfeur qui consiste à vivre dans le moment présent, à se concentrer sur chaque coup, à le jouer avec tout son cœur, toute son attention, peu importe ce qu'il vient de faire. Il s'absorbe parfaitement dans l'instant qu'il vit, parce qu'il sait que c'est le seul sur lequel il peut agir. Il s'efforce d'oublier le passé, qui pour lui peut être le dernier trou, la dernière partie ou le dernier tournoi... Il sait qu'il ne pourra pas changer ce mauvais trou sur sa carte de pointage et que s'il se laisse abattre par un mauvais trou, il risque de mettre en danger le reste de sa partie. Et il ne pense pas à l'avenir, sur lequel il n'a pas vraiment de prise puisqu'il est impossible de jouer son troisième coup avant d'avoir joué son deuxième...

— Cela, admit le golfeur, même les plus grands golfeurs n'y sont jamais arrivés...

— Et pourtant, dit le millionnaire, combien de golfeurs perdent la tête et font une erreur coûteuse en commençant à penser qu'ils sont en train de jouer la partie de leur vie, au lieu de se concentrer sur le coup qu'ils doivent jouer ?

— Je sais, admit le golfeur, cela m'est souvent arrivé...

Le millionnaire joua un bon deuxième coup, mais sa balle resta un peu à court, sur la frise. Avant que le golfeur eût joué son coup, le millionnaire poursuivit :

— Imaginez que vous ayez un début de partie exceptionnel et qu'après, disons, quinze trous, vous soyez quatre sous la normale. Si vous inscrivez au seizième trou un boguey double...

— Je serai déçu.

— Je suis d'accord, et en effet c'est décevant. Mais est-ce que ce boguey double au seizième trou vous aura empêché de jouer les quinze premiers trous quatre sous la normale ?

— Non...

— Et sur la carte, est-ce qu'un boguey double au premier trou compte davantage qu'un boguey double au seizième trou ?

— Je commence à voir où vous voulez en venir. Sauf qu'un mauvais départ me déprime. Tandis que si je fais un double au seizième trou alors que je suis quatre sous la normale, je suis déçu, mais je ne me décourage pas.

— C'est justement ce que vous devez apprendre à faire pour devenir un grand golfeur, un véritable champion. Tant que vous n'y parviendrez pas, vous ne ferez pas de progrès réels parce que vous serez toujours à la merci d'un mauvais trou initial. Vous pourrez entamer la quatrième journée du *Masters* avec une avance de deux coups, mais si vous commencez avec un double et que vous vous laissez démoraliser, vous venez de perdre. Dans ces conditions, vous devriez d'ailleurs abandonner tout de suite, ne même pas gaspiller votre temps à terminer votre partie. Il faut que vous cultiviez en vous cet état brillant du golfeur qu'est le détachement. À la limite, il faut que vous appreniez à voir votre partie de la même manière que le marqueur, pour qui un double est un double, ni plus ni moins, peu importe le moment de la partie où il survient.

— Je vois, mais c'est difficile.

— Il est facile de maintenir un bon état d'esprit lorsque tout va bien. C'est à la portée d'à peu près tout le monde, quoiqu'il y ait des gens qui s'en fassent même quand tout va bien. Ce qui est ardu, c'est d'agir comme le grand golfeur, comme le champion : de maintenir le même état d'esprit lorsque les circonstances sont défavorables. C'est ainsi que j'ai toujours mené mes affaires. Dans des périodes difficiles, je me suis toujours efforcé, dans un premier temps, de prendre des mesures rapides et énergiques, et, dans une deuxième étape, de me dire : « Ne te presse pas pour paniquer, pour être déprimé. Prends ton temps pour être malheureux. Remets ton malheur à demain. » Et le lendemain, si les choses allaient encore mal, je me répétais que je devais encore attendre une journée avant d'être malheureux, sans pour autant diminuer mon ardeur à améliorer la situation... Et, la plupart du temps, celle-ci finissait par se rétablir... sans que j'aie eu le temps d'être malheureux ! Souvenez-vous que les soucis n'ont jamais enrichi que les médecins ou les psychiatres... Et n'oubliez pas qu'ultimement votre état d'esprit est la seule chose sur laquelle vous ayez un contrôle.

— Je vais tenter de m'en souvenir.

— Dans son détachement supérieur, le grand golfeur se contente de noter les résultats de chaque coup comme une simple information sans valeur émotive. Comme si un mauvais trou avait été joué par quelqu'un d'autre. Plus encore, il pense que ce mauvais trou arrive en fait à quelqu'un d'autre que lui. Il arrive à cette version de lui qui est au-dessous de ses véritables possibilités. Il a été joué par une version de lui qui s'est égarée – et de façon passagère – dans les états obscurs du golfeur. Et la beauté de la chose, c'est que plus scintillera en vous cet état brillant du golfeur, plus il rayonnera dans toute votre vie. Car celui qui parvient à la maîtrise dans un domaine voit toute sa vie transformée. Devant une mauvaise nouvelle, devant une difficulté, une contrariété ou une déception, il réagit comme devant un mauvais coup ou un mauvais trou. Au lieu de s'apitoyer sur son sort, de se laisser déprimer ou abattre, de se dire qu'il est un mauvais golfeur, un raté, il demeure d'une humeur égale, détachée. Il analyse les raisons de son erreur, se demande quelles mesures il doit prendre pour corriger la situation et tente constamment de faire le meilleur geste, de prendre la meilleure décision, en ayant confiance que, dans l'avenir, il récoltera inévitablement les fruits des états brillants du golfeur.

— C'est bien beau de faire preuve de détachement, mais il y a des situations où il est difficile de ne pas se laisser envahir par ses émotions. Certains coups sont vraiment importants, et sont vraiment énervants... On a beau tenter de se raisonner, les émotions interviennent...

— C'est un peu le paradoxe du golf... Lorsque vous vous entraînez, vous devez agir comme si le moindre coup roulé était un roulé de deux cent cinquante mille dollars, un roulé pour gagner le *U.S. Open*. Et lorsque vous vous retrouvez en compétition, il faut encore que vous fassiez comme si... Mais il faut que vous fassiez comme si le roulé crucial que vous effectuez n'était rien de plus qu'un roulé de routine, un coup que vous exécutez sur le vert d'entraînement... Lorsque vous aurez développé les états brillants du golfeur, vous verrez que finalement, sur le terrain de golf comme dans la vie, rien n'est vraiment important...

— C'est peut-être plus facile à dire qu'à faire... Il reste que lorsque j'ai voulu me qualifier, et que je me suis trouvé devant un coup vraiment difficile, je me suis quand même dit que c'était un coup important, et j'ai ressenti la nervosité, la peur de le manquer...

— Pourtant, la vie n'est qu'un jeu et les choses n'ont que l'importance que notre esprit veut bien leur accorder... Et comme nous pouvons apprendre à maîtriser notre esprit, nous pouvons conserver une humeur égale dans toutes les circonstances... Au fond, et c'est un des paradoxes du golf et de la vie, il faut s'exercer comme si chaque coup était une question de vie ou de mort, et il faut faire le roulé décisif d'un tournoi, ou le coup de départ capital au dernier trou, comme si ce n'était qu'un coup parmi tant d'autres sur le terrain d'exercice ou dans une partie amicale du dimanche après-midi...

Au trou suivant, un long trou à normale 5 en forme de coude, le millionnaire suggéra au golfeur d'essayer de « couper » au-dessus du bois, seule manière de prendre le vert en deux coups, mais la suggestion ne s'avéra pas profitable car le golfeur retint un peu son coup de départ, bloqua son élan, et sa balle tomba à la droite dans le bois qu'il avait tenté de dépasser.

Curieusement, au lieu de s'excuser de lui avoir conseillé ce coup audacieux, le millionnaire afficha un petit sourire ironique, presque comme s'il était heureux de ce résultat. Une réaction qui parut curieuse au golfeur. Mais il n'osa pas le faire remarquer à son hôte, par ailleurs si charmant. Peut-être simplement était-il paranoïaque et se faisait-il des idées...

Le millionnaire joua son coup, puis, accompagnés du cadet, les deux hommes se mirent en marche vers le bois où avait disparu la balle du golfeur. Mais, au moment où le millionnaire s'apprêtait à suivre Robert dans le sous-bois, la sonnerie d'un téléphone retentit. C'était un téléphone cellulaire, que le cadet s'empressa de prendre dans le sac du millionnaire. Il tendit l'appareil au vieil homme qui répondit :

— Oh ! monsieur le Président, bonjour. Non, non, vous ne me dérangez pas, je jouais un petit neuf trous avec un ami... Si vous voulez m'excuser un instant...

Il couvrit l'appareil de la main droite et expliqua au golfeur :

— C'est le Président...

— Il n'y a pas de problème... lui assura le golfeur.

Le millionnaire n'avait pas spécifié de quel président il s'agissait, mais le golfeur eut la forte impression qu'il s'agissait *du* Président. Cette impression fut aussitôt confirmée par une remarque du cadet.

— Il l'appelle presque tous les jours depuis qu'il est en campagne de réélection...

— Oh ! je vois, dit le golfeur avec un respect décuplé.

Et en même temps il se demanda comment il se faisait qu'un homme qui était visiblement multimillionnaire, peut-être milliardaire, qui vivait dans un véritable château, qui possédait un domaine extraordinaire à Hampton, avec un neuf trous privé, un homme que le président des États-Unis appelait tous les jours, comment il se faisait donc qu'un tel homme pût s'intéresser à un illustre inconnu comme lui, qui gagnait trois fois rien et était pour ainsi dire un raté, du moins à ses propres yeux.

Un instant il se demanda même s'il ne rêvait pas, s'il ne se réveillerait pas quelques minutes plus tard dans une minable chambre d'hôtel... Ou peut-être que sa séparation lui avait littéralement fait perdre la tête, qu'il était devenu fou et qu'il était en train de délirer, comme certains psychopathes qui se prennent pour Napoléon ou, justement, pour le président des États-Unis...

D'ailleurs, n'était-ce pas un des rêves qu'il avait parfois caressé, une fantaisie qu'il conservait dans ses arrière-pensées les plus profondes, de pouvoir un jour rencontrer une sorte de mentor, d'ange gardien qui le prendrait sous son aile et l'aiderait à réaliser ses espoirs les plus fous ?

Comme pour s'assurer qu'il ne rêvait pas, il glissa discrètement la main dans sa poche, palpa les nombreux billets de mille dollars qu'il venait de gagner dans les surprenants paris. Il ne rêvait donc pas, à moins qu'il y eût une logique dans son rêve...

Il jugea que c'était un peu fort, que s'il pouvait toucher les billets, et même les voir – subrepticement, il les tira à demi de sa poche –, c'est qu'il était bel et bien en leur possession et surtout qu'il ne rêvait pas...

Le golfeur pénétra dans le bois.

Très bien entretenu, le sous-bois n'était pas extrêmement dense, et les rayons du soleil pénétraient aisément entre les grands arbres, atteignant le sol et créant une atmosphère plutôt féerique. Cependant, la présence de la lumière, assez éblouissante, ne rendait pas aisée la tâche de retrouver la balle, car les feuilles mortes, les aiguilles de pin, les roches brillaient.

Comme il ne voyait pas sa balle en bordure, le golfeur s'enfonça davantage. La balle avait fort bien pu frapper un arbre et rebondir dans n'importe quelle direction. Et comme il n'avait jamais de chance comme golfeur – tout au moins en était-il convaincu, et cette conviction nourrissait peut-être précisément sa malchance ! –, si sa balle avait pu faire un mauvais bond, elle l'aurait fait !

Il la cherchait en vain lorsqu'il vit devant lui, à environ six mètres, un charmant petit renard tranquillement assis, comme s'il l'attendait, une balle de golf entre les pattes de devant. Même si la mine de l'animal était sympathique, le golfeur s'avança prudemmnent. Mais le renard prit alors la balle entre ses dents, et le golfeur eut un mouvement de recul.

— Fred ! Qu'est-ce que tu fais ? Donne la balle à notre ami.

Le golfeur se retourna et aperçut le millionnaire, qui l'avait suivi dans le bois.

Obéissant aux ordres du millionnaire, le renard s'approcha du golfeur et laissa tomber la balle devant lui, puis alla se blottir contre les jambes du vieil homme. Le golfeur ramassa la balle, l'examina, en vérifia la marque et le numéro, et constata qu'il s'agissait bel et bien de sa balle.

— Merci pour la balle, Fred, dit-il.

7

Où le golfeur apprend le secret de l'imitation

En sortant du bois d'un pas pressé, encore amusé par l'aventure avec le renard, le golfeur posa par mégarde le pied droit dans une flaque de boue assez profonde.

« Merde ! pensa-t-il. Ce ne sont même pas mes chaussures ! »

Aussi était-il fort embarrassé lorsqu'il revint dans l'allée et que, avant qu'il eût le temps de s'excuser, le millionnaire vit sa chaussure, complètement couverte de boue.

— Je... J'ai mis le pied où je ne devais pas, dit le golfeur.

— Ce n'est pas grave, dit le millionnaire.

Et il se tourna, fit un signe au cadet, qui s'empressa de fouiller dans son sac et en tira un petit nécessaire en cuir noir qu'il remit à son patron.

— Venez, ajouta le millionnaire, je vais arranger cela.

Le golfeur s'approcha sans encore vraiment comprendre et ne manqua pas de s'étonner de nouveau lorsque le millionnaire s'agenouilla à ses pieds et entreprit de dénouer le lacet de sa chaussure droite.

— Mais... qu'est-ce que vous faites ? demanda le golfeur, embarrassé de voir un homme de cet âge et de son statut social s'agenouiller devant lui comme un valet.

— Vous ne voyez pas ? J'enlève votre chaussure. Levez le pied s'il vous plaît. Si vous ne m'aidez pas, je ne peux pas vous aider.

Le golfeur souleva le pied, laissa le vieil homme lui retirer sa chaussure, qu'il posa sur l'herbe devant lui. Et, tout en ouvrant le petit nécessaire et en tirant quelques chiffons, une brosse et de la cire, le millionnaire poursuivit :

— Il faut s'incliner devant tous les êtres qu'on rencontre. Parce que chaque être est unique et possède une coupe qui contient la sagesse de son expérience. Si je me place au-dessus de l'être que je rencontre, il ne peut déverser dans ma propre coupe le vin de sa sagesse. Si au contraire je m'incline, sa sagesse se déverse naturellement en moi, par une sorte de loi de la gravité spirituelle. C'est ce que, dans le grand public, on appelle « être à l'écoute des autres ». C'est une attitude beaucoup plus importante qu'on ne croit. Parce qu'aucun être n'arrive par hasard sur notre route. Chaque être, même le plus modeste – et même le plus difficile, le plus mauvais –, a quelque chose à nous apprendre et peut nous aider à forger notre caractère et à développer en nous le principe d'amour. En ce sens, chaque être est un maître pour l'autre. Et tant que nous avons des conflits avec une personne, tant que nous ne sommes pas en harmonie avec elle, c'est qu'elle a encore quelque chose à nous apprendre, c'est que nous devons encore travailler, à son contact, un aspect de notre caractère. Devant chaque conflit, devant chaque contrariété, que ce soit au travail ou en amour, il faut s'habituer à se poser la question : « Qu'est-ce que cette situation, qu'est-ce que cet être est venu m'apprendre ? Pourquoi est-il sur ma route à ce moment de ma vie ? » Et lorsqu'on trouve la réponse, une nouvelle leçon est apprise, une nouvelle marche est gravie dans l'escalier infini de la sagesse... Et la difficulté, devenue inutile, disparaît instantanément... Mais nous ignorons cette loi pourtant simple, nous ne tenons pas compte des autres, parce que nous manquons d'humilité et que nous sommes aveuglés, comme si nous nous promenions dans la vie avec, devant nous, un miroir dans lequel nous nous contemplons stérilement et qui nous empêche de voir les autres... C'est pour cela que la plupart des gens sont persuadés qu'ils sont les seuls à avoir raison, que tous les autres ont tort... Pour cette raison, il n'y a à peu près jamais de vraie conversation, et tous les êtres restent solitaires, enfermés dans leur propre filet mental. Par conséquent, les guerres, petites et grandes, se perpétuent à travers les siècles... Parce que personne ne veut prendre le temps de marcher dans les souliers d'un autre avant de le juger...

Il marqua une pause, et l'expression plutôt grave de son visage se transforma, devint plus mondaine, plus légère, et il enchaîna :

— Parlant de soulier, voyons ce que nous pouvons faire...

Il prit la chaussure boueuse dans sa main gauche et, de l'autre main, entreprit de la nettoyer avec un chiffon. Il s'interrompit au bout de quelques secondes, regarda le golfeur, qui restait debout devant lui, embarrassé, et lui lança un peu brusquement :

— Mais qu'est-ce que vous faites ? Ne restez pas planté là comme une girafe...

Le golfeur regarda derrière lui, puis dit spontanément, sans vraiment réfléchir :

— Vous ne croyez pas que nous risquons de retarder le jeu ?

La question fit sourire le millionnaire, qui interrompit le nettoyage de la chaussure, regarda au loin, en direction du dernier départ, puis jeta un coup d'œil amusé vers son cadet et répliqua :

— Je ne crois pas que nous ayons d'autres invités aujourd'hui, n'est-ce pas, mon ami ?

— Hum, dit le cadet, je ne crois pas non plus...

Avant même d'entendre la réponse, le golfeur avait compris l'absurdité de sa question : il avait oublié que c'était le terrain privé du millionnaire ! Gêné, il consentit enfin à s'asseoir, mais lorsqu'il vit le millionnaire commencer à cirer sa chaussure, il voulut se rattraper et protesta :

— Au moins, laissez-moi la cirer...

— Oh non, dit le millionnaire, je suis ici la personne la plus qualifiée pour cirer une chaussure... Et si vous vous demandez pourquoi, c'est simplement que j'ai dû, dans mon existence, en cirer plus de dix mille paires...

— Dix mille paires ?

— Oui, j'ai fait mes débuts sur le marché du travail à quatorze ans, comme cireur de chaussures, parce que j'ai été dans l'obligation de gagner ma vie très tôt, à la mort de mon père...

— Ah ! je suis désolé...

— Vous n'avez pas à l'être... De la même manière que j'attends toujours au lendemain pour être malheureux, dans le doute ou l'ignorance, je m'abstiens de m'attrister et je conserve mes larmes pour les vrais malheurs... C'est curieux... Personne ne sait ce qu'est la mort, et pourtant tout le monde est triste lors d'un décès. N'est-ce pas pur égoïsme ? Qui sait, les morts nous regardent peut-être de l'au-delà, chagrinés de nous voir encore vivants et impatients de nous retrouver...

— Je n'y avais jamais pensé...

— C'est normal, vous faites encore comme les autres gens. Vous réfléchissez avec les idées des autres...

Il appliqua davantage de cire sur la chaussure.

— En fait, les hasards de la vie sont étranges, parce que c'est en cirant les chaussures que j'ai vraiment commencé à faire fortune...

— En cirant les chaussures, à... deux dollars la paire ?

— Oui, comme c'est souvent le cas dans des tâches modestes, ingrates ou même inutiles sur le coup, par exemple avec de petits clients qui ne nous rapportent pas beaucoup dans l'immédiat mais qui nous amènent à de plus gros clients ou nous permettent de comprendre des choses qui seront utiles dans de grandes affaires. Ce ne sont pas les deux dollars qui m'enrichissaient. C'est que j'avais installé ma chaise dans Wall Street, où passaient des gens d'affaires très fortunés, qui sont tous devenus mes clients... Et pendant que je cirais leurs chaussures, je faisais comme je vous disais tout à l'heure, je me laissais emplir par leur sagesse, leur expérience... Je posais des questions... J'écoutais leurs remarques, leurs doléances... Je les observais attentivement... J'examinais la manière dont ils s'habillaient, leur démarche, leur façon de parler... Je tentais de percer le secret de leur charisme, de leur autorité... Comment ils s'adressaient les uns aux autres, comment ils se saluaient... Je me demandais ce qu'ils avaient de différent, ce qui leur avait permis de se distinguer, de faire fortune. Et petit à petit, je me convainquais que moi aussi, un jour, je pourrais faire partie de cette élite, des *happy few*, comme on dit, que moi aussi, je pourrais faire cirer mes chaussures... Et je me rendais compte que la partie ne serait pas si difficile, que ces hommes que je voyais de proche – et d'en dessous ! – n'étaient probablement pas plus intelligents que ceux qui avaient moins bien réussi... Mais ils avaient une assurance, une détermination... Ils avaient une image d'eux-mêmes différente de celle de la majorité des gens qui, eux, ne se croyaient pas assez fortunés pour dépenser quelques dollars pour faire cirer leurs chaussures et ne sont probablement jamais devenus riches... Soit dit en passant, certains de ces hommes me semblaient avoir une image un peu trop avantageuse d'eux-mêmes... Pour tester mon jugement – et gagner quelques dollars de plus ! –, je m'amusais d'ailleurs à repérer ceux d'entre mes clients qui étaient orgueilleux...

— Comment ?

— Simplement, lorsqu'un client me réglait avec un billet de cinq dollars, j'écarquillais les yeux, puis j'inclinais la tête avec une reconnaissance excessive, comme si je venais de comprendre que je pouvais tout garder... Et deux fois sur trois, l'homme n'insistait pas, n'osait pas gâcher ma joie en me demandant la monnaie...

Le golfeur éclata de rire

— Je dois avouer que je faisais parfois la même chose, lorsque j'ai débuté dans l'enseignement...

— Il n'y a pas de petit bénéfice, comme on dit... Aujourd'hui, ces petits jeux me font sourire, mais j'étais orphelin, je gagnais ma vie, honnêtement, et il faut bien commencer quelque part... D'ailleurs, c'est ainsi que j'ai trouvé mon premier vrai emploi... Un gros homme d'affaires avec qui j'avais essayé le truc du cinq dollars et qui avait découvert mon petit subterfuge s'est mis à rire et m'a laissé sa carte, en me disant de le rappeler quand j'aurais dix-huit ans et qu'il aurait un poste pour moi... C'est ce que j'ai fait, et il a tenu parole... Comme quoi tous les chemins mènent à Rome, pourvu qu'on se mette en route résolument et surtout qu'on saute dans le train quand il passe...

Après une pause, le millionnaire reprit :

— J'ai en tout cas appris une grande vérité en cirant les chaussures...

— Laquelle ? demanda le golfeur, curieux.

— C'est que tous les gens fortunés portent des chaussures de qualité. Et c'est sans doute pour cela qu'on dit qu'on juge de la valeur d'un homme à ses chaussures...

Le golfeur se mit à rire.

— Si on juge de ma qualité de golfeur par la boue qu'il y a sur ma chaussure...

— Je travaille là-dessus, je travaille là-dessus... Ne vous inquiétez pas...

Et il est vrai qu'il travaillait avec un zèle étonnant, comme si la tâche non seulement lui tenait à cœur, mais le fascinait.

Lorsqu'il estima que la cire était suffisamment sèche, il entreprit de brosser la chaussure. Mais il continuait de parler :

— En réalité, ce que je faisais sans m'en rendre compte en examinant ces gens fortunés, c'est que je les contemplais... Il paraît que l'on devient ce que l'on contemple... Et c'est ce qui m'arrivait à mon insu... Car la beauté, avec les lois spirituelles, c'est qu'on n'a pas besoin de les connaître ou même de les comprendre vraiment pour qu'elles fonctionnent... Il suffit de les appliquer avec constance et amour... Vous devriez le faire d'ailleurs pour votre golf... La loi vaut dans tous les domaines... En imitant les grands qui nous ont précédés sur la route de la vie, c'est un peu comme si on montait sur les épaules de géants... À cette hauteur nouvelle, le golfeur voit nécessairement plus loin et épargne tout le temps qu'il aurait perdu en tentant de tout apprendre par lui-même et de réinventer la roue... Faites comme j'ai fait avec les hommes riches dont j'ai ciré les chaussures... Observez sur des vidéos, à la télévision, les élans des meilleurs joueurs du monde... Imprégnez-vous-en... Devenez littéralement ces joueurs... Mais, bien entendu, gardez votre style personnel... Vous êtes unique, et chaque bel élan de golf est unique lui aussi, de la même manière qu'il n'y a pas deux empreintes digitales semblables, bien qu'il y ait des milliards d'individus sur terre... En contemplant les grands joueurs, vous vous imprégnerez à votre insu de leurs qualités, de leur détermination, de leur courage... Vous deviendrez grand vous aussi... Évidemment, restez vous-même... Imitez, mais intelligemment... Mais d'abord, pour acquérir ces qualités du grand golfeur, contemplez-le. La contemplation est la forme la plus noble de l'imitation... Et n'oubliez pas que beaucoup d'hommes admirables ont d'abord été de grands admiratifs...

Il se tut alors et continua de cirer la chaussure. Il y mettait tant d'application, tant de minutie, tant d'amour que tout son visage s'était mis à irradier, comme si une lumière s'était allumée à l'intérieur de lui.

Il était si absorbé dans cette modeste tâche que le temps semblait ne plus compter pour lui. On aurait dit un enfant. Parfois il sortait de son silence contemplatif pour chantonner quelque chose, une sorte de « hum » ou de « om », comme s'il méditait, répétait la syllabe sacrée entre toutes...

Intrigué, et émerveillé, le golfeur l'observait sans rien dire, puis jeta un coup d'œil en direction du cadet, comme s'il voulait savoir comment réagir dans cette situation. Le cadet sembla comprendre sa question muette et se contenta d'un sourire aimable qui signifiait : « Il n'y a rien à faire, il est ainsi... »

Le millionnaire écarta la brosse et examina un instant la chaussure. Il ne parut pas satisfait, se remit à frotter de plus belle.

Le golfeur connut alors une expérience étrange. Soudain, pendant qu'il regardait le millionnaire, un grand élan monta en lui. Il pensait à son impatience des derniers jours... Des derniers jours ? Des derniers mois, des dernières années. Il se rappela combien rapidement il avait perdu patience, la veille, parce que sa vieille Riviera avait refusé de démarrer du premier coup... Comme si c'était vraiment grave, comme si sa petite personne importait tellement que la vie ne pouvait la contrarier et lui devait tout...

Et il songea que ce vieil homme, au fond, était beaucoup plus jeune, beaucoup plus frais, beaucoup moins aigri et impatient que lui... Et les larmes lui montèrent spontanément aux yeux, si vivement qu'il détourna la tête et les essuya, véritablement honteux...

Le millionnaire posa la brosse. La chaussure rutilait. Il l'admira avec une satisfaction évidente, aussi heureux qu'un peintre devant son dernier chef-d'œuvre ou qu'un homme d'affaires devant des états financiers exceptionnels.

— Tenez, dit-il en tendant la chaussure, voilà...

— Je... je vous remercie...

Encore gonflé d'une émotion incroyable, le golfeur enfila la chaussure, laissa tomber la balle que le renard avait retrouvée et se prépara à jouer son coup suivant. Mais le millionnaire, sans lui laisser le temps de jouer son coup, lui posa une nouvelle question. Décidément, pensa le golfeur, c'était une véritable manie chez lui de poser des questions...

8

Où le golfeur découvre la puissance du golfeur intérieur

— Quelle a été votre dernière pensée avant de frapper votre coup de départ, tout à l'heure ?

— Eh bien, attendez... Je me suis dit : « Ne va pas dans le bois... »

— C'est une erreur.

— Une erreur ?

— Oui. Et c'est à coup sûr une des raisons pour lesquelles vous vous y êtes retrouvé, en plus d'avoir été en colère. Vous avez laissé s'exprimer en vous deux états sombres du golfeur : la colère – en raison de votre boguey double au trou précédent – et la peur.

— J'y suis surtout allé parce que j'ai bloqué mon élan à droite. C'est une erreur que je fais parfois sous pression, protesta le golfeur.

— Techniquement, vous avez raison. Mais ce qui importe, c'est que vous vous demandiez comment un élan parfait sur le terrain d'exercice s'est brusquement détraqué dans une circonstance défavorable. Ce qui importe, c'est que vous vous demandiez pourquoi votre balle a été comme magiquement attirée vers le bois.

— Ce serait en effet fort commode pour les fois prochaines où je me retrouverai en pareille situation.

— « Ce que j'ai craint le plus, ma plus grande peur s'est réalisée », a dit un philosophe. La peur que vous avez eue, sur le tertre de départ, d'aller dans le bois n'était au fond qu'une pensée. Et c'était la pensée dominante de votre esprit. Or toutes les pensées du golfeur tendent à se concrétiser au cours de la partie. Le grand psychologue Jung a dit : « Tout ce qui gît dans le subconscient veut devenir événement. » Le golfeur n'échappe pas à cette loi, dans les grandes comme dans les petites choses. S'il pense secrètement qu'il ne mérite pas de gagner le tournoi, il le perdra probablement. Si, devant un lac, il se dit : « Ne va pas dans l'eau » ou si, devant un trou qui lui donne toujours de la difficulté sans qu'il sache pourquoi – son « trou cauchemar », ou son « trou fétiche » –, il se dit : « Ne fais pas un boguey double comme samedi dernier ! », cet avertissement, au lieu de le protéger contre l'erreur, multiplie au contraire les chances de la commettre. D'ailleurs beaucoup de golfeurs, après avoir commis cette erreur qu'ils appréhendaient, déclareront, dépités : « Je le savais ! J'en étais sûr ! Je fais toujours la même erreur à ce trou ! »

— Mais comment cela se passe-t-il au juste ?

— Il y a en chaque joueur deux golfeurs. Le golfeur extérieur, celui qu'on voit, qui possède ou non un bel élan, a tel poids, telle musculature, qui s'exerce trois heures par jour ou qui joue une fois par semaine. Et il y a le golfeur intérieur, qu'on ne voit pas, et dont pourtant la puissance est étonnante. En lui résident tous les souvenirs « golfiques » du joueur. Ses bon coups, ses mauvais trous, ses victoires, ses défaites... C'est le golfeur intérieur qui fait la différence entre le joueur qui gagne et celui qui perd. Si le golfeur intérieur pense bien, le golfeur extérieur joue toujours mieux, peu importe ses qualités physiques. Si le golfeur extérieur ne réussit pas à dialoguer correctement avec le golfeur intérieur, à lui donner les bons ordres, si, en conséquence, le golfeur intérieur pense mal, le golfeur n'arrive à rien, même s'il passe des heures sur le terrain d'exercice, même s'il joue trente-six trous par jour. Et c'est encore plus vrai lorsqu'il y a de la pression, parce que plus la pression est forte, plus le joueur doit compter sur le golfeur intérieur. En fait, il ne peut plus compter que sur lui. Car ce n'est pas le golfeur extérieur mais bien le golfeur intérieur qui permet au joueur, alors qu'un boguey serait fatal, d'effectuer cette sortie de fosse magique qui non seulement lui rend possible de sauver sa normale mais tombe dans la coupe pour un *birdie* miraculeux. C'est encore le golfeur intérieur qui permet d'accomplir ce coup de bois n° 3 incroyable qui s'arrête à cinq pieds du drapeau, comme s'il s'agissait d'un simple coup de *wedge*. Mais c'est aussi lui qui fait rater un roulé crucial de deux pieds ou qui fait dévier un coup de départ dans le bois sur un trou pourtant fort large. C'est lui qui envoie le coup d'approche pourtant facile dans l'eau, alors que, sur le terrain d'exercice, le golfeur pourrait répéter le même coup à une centaine de reprises sans le rater une seule fois...

— Comment un tel paradoxe est-il possible ? Comment le golfeur intérieur peut-il être à la fois aussi génial et aussi gaffeur ?

— C'est que le golfeur intérieur ressemble un peu au touriste qui débarque pour la première fois dans un pays dont il ne connaît pas bien la langue. Disons même qu'il n'en a qu'une connaissance fort rudimentaire. Il n'en a étudié ni la grammaire ni la syntaxe. Mais il a appris quelques mots essentiels à toute vitesse dans l'avion, grâce à un petit guide de voyage.

— Je ne suis pas sûr de comprendre...

— Attendez. Imaginez que ce touriste marche dans une rue déserte, dans cette ville qu'il ne connaît pas. Il entend alors quelqu'un crier après lui. Il se tourne, et aperçoit un homme dont la mine ne lui paraît pas rassurante et qui gesticule vers lui. Il presse le pas, se retourne, mais se rend compte que l'étranger a lui aussi pressé le pas, qu'en fait il court après lui. Il se met à courir à son tour, tourne dans une autre rue pour semer son poursuivant mais arrive dans un cul-de-sac ; l'étranger le rejoint alors et lui tend un objet en parlant à toute vitesse – ceux qui parlent dans une langue qu'on connaît mal nous semblent toujours parler trop vite, alors que pour eux on parle aussi vite dans notre langue ! L'étranger lui dit : « Je ne suis pas un voleur. Je ne veux pas vous blesser. » Quels sont les mots clés que le touriste risque d'avoir compris dans cette phrase ? Le mot « pas », le mot « je » ou plutôt...

— Le mot « voleur », le mot « blesser », l'interrompit le golfeur.

— Précisément, dit le millionnaire, ravi que son interlocuteur ait suivi son raisonnement. Et s'il lui montre alors un portefeuille et lui dit : « Votre portefeuille... », que comprendra le touriste ?

— Que l'étranger est un voleur, qu'il lui demande son portefeuille, et que s'il ne le lui donne pas, l'autre le blessera ou le tuera...

— Précisément... mais alors, le touriste se rend compte de sa méprise, parce que l'étranger sourit et lui met sous le nez son portefeuille, qu'il reconnaît alors. Il palpe sa poche et réalise qu'il l'a effectivement perdu, et que cet étranger, loin d'être un voleur, est un honnête homme qui s'est essoufflé à le poursuivre pour lui rendre son portefeuille perdu...

Il marqua une pause puis reprit :

— Le bonheur se travestit souvent avec malice sous les habits du malheur. C'est d'ailleurs une des raisons pour lesquelles, comme je vous le disais tout à l'heure, je m'efforce d'attendre au lendemain avant d'être malheureux... C'est souvent le temps qu'il me faut pour reconnaître le bonheur sous son habile déguisement... Et je suis doublement heureux alors, car j'ai aussi la joie de ne pas m'être laissé duper par les apparences et les événements extérieurs... Mais revenons au golfeur intérieur, qui fonctionne comme ce touriste dont je viens de vous raconter l'amusante expérience... Lorsque, sur le tertre de départ, vous avez dit « Ne va pas dans le bois » à votre golfeur intérieur, celui-ci, comme le touriste qui n'a pas entendu la négation dans la phrase « Je ne suis pas un voleur », a perçu uniquement le mot dominant, le mot « bois ». Et, pour votre plus grand malheur, il a exécuté l'ordre reçu, et vous a envoyé dans le bois.

— Mais comment éviter cela ?

— Il faut simplement lui donner de bons ordres. Je ne dis pas évidemment qu'il ne faut pas tenir compte des obstacles et des dangers d'un parcours. Il faut au contraire les évaluer attentivement, ne pas prendre de risques inutiles. Si vous devez traverser une fosse de sable pour atteindre un drapeau placé à quelques mètres au début du vert, il est peut-être téméraire de viser le drapeau. Visez plutôt le centre du vert. C'est la manière dont il faut tenir compte d'un danger réel. Mais lorsque vous passez à l'étape suivante de votre préparation, lorsque vous donnez des ordres à votre golfeur intérieur, ne pensez plus à la fosse de sable. Vous l'avez fait une fois pour toutes, maintenant chassez cette fosse de votre esprit. Et, avant de frapper votre coup, il ne faut surtout pas que vous vous disiez : « Ne va pas dans le sable ! » Cette crainte, cette hésitation se traduit presque toujours par un résultat fâcheux. De la même façon, lorsque vous hésitez entre deux bâtons, disons un fer n° 5 et un fer n° 6, méfiez-vous si cette hésitation persiste en vous au moment où vous allez frapper votre coup. Car alors, vous envoyez une information contradictoire à votre golfeur intérieur, et vous cédez inconsciemment à un autre état sombre du golfeur : l'indécision. Le proverbe dit : « Dans le doute, abstiens-toi. » Ce proverbe est valable au golf. Éliminez donc cet état obscur et consolidez votre choix. Affermissez-le jusqu'à ce que vous ayez atteint la certitude golfique. Ce faisant, vous passerez automatiquement d'un état sombre à un état brillant du golfeur. Personnellement, je me suis fixé comme règle ce que j'appelle : la décision cent pour cent.

— La décision cent pour cent ? De quoi s'agit-il ?

— Vous allez voir, c'est une règle très simple que j'ai découverte en m'observant moi-même, une habitude que la plupart des gens devraient prendre au lieu de se laisser abrutir par la télé. En analysant toutes les affaires que j'ai tentées, je me suis rendu compte que, chaque fois que j'étais sûr à cent pour cent du résultat d'une entreprise, j'ai réussi et, chaque fois que j'ai décidé d'aller de l'avant sans cette certitude à cent pour cent, j'ai échoué.

— Vous aussi vous avez connu des échecs ? demanda avec une certaine surprise le golfeur, qui s'étonnait de la franchise du millionnaire.

— Mais oui. Ce qui est d'ailleurs tout à fait naturel. Montrez-moi un homme qui n'a pas subi un seul échec dans sa vie et, sans le connaître, je pourrai vous dire qu'il s'agit d'un homme qui n'a jamais rien tenté. Derrière chaque grand homme, derrière chaque artiste, savant, homme d'affaires ou politicien à succès, il y a un homme qui a échoué à maintes reprises, qui a trébuché mais qui, chaque fois, animé par sa foi intérieure, a su se relever et poursuivre sa marche... Seulement, on ne le sait pas. Parce qu'on n'entend parler de ces gens que lorsqu'ils ont réussi.

Le millionnaire ajouta ensuite, dans des mots qui parurent un peu énigmatiques au golfeur :

— Bien sûr, j'ai échoué. Si je n'avais pas échoué, c'est que je n'aurais pas eu de leçon à apprendre sur cette terre, et si je n'avais pas eu de leçon à apprendre, je ne serais plus de ce monde... Pour revenir à l'indécision, souvenez-vous que la hâte est toujours mauvaise conseillère. Lorsque vous hésitez entre deux bâtons, entre deux façons de jouer un coup – surtout un coup délicat, lorsque vous êtes en difficulté –, prenez votre temps. De toute manière, il est plus long – et plus coûteux – de réparer les conséquences d'une mauvaise décision que de s'accorder quelques secondes de plus pour faire le bon choix. Quelques secondes de réflexion de plus n'ont jamais tué personne. Mais une fois que votre décision est prise, ne la remettez pas en question, placez-vous avec confiance devant la balle et jouez votre coup.

Le millionnaire fit une pause puis reprit :

— À la vérité, lorsque vous vous laissez influencer par vos peurs, par vos hésitations, vous négligez de cultiver un des états brillants du golfeur. Il est fort simple extérieurement, et très facile à cultiver, et pourtant quatre-vingt-dix-neuf pour cent des golfeurs amateurs le négligent alors que quatre-vingt-dix-neuf pour cent des grands golfeurs y recourent.

— Vous m'intriguez...

9

Où le golfeur apprend à visualiser ses coups

— Il s'agit d'un état qui peut paraître simpliste, mais qui pourtant est d'une efficacité étonnante. C'est une des grandes lois de l'esprit, qui s'applique au golf comme à tous les domaines. Chaque pensée, chaque image constitue une chose concrète, qui a une existence réelle et qui tend à se matérialiser. C'est pour cette raison que tous les grands golfeurs – qui, quoi qu'on en dise, sont aussi de grands penseurs, et pas seulement des machines à frapper des balles – visualisent leur coup avant de le jouer. Un des plus grands golfeurs de tous les temps, Jack Nicklaus, a un jour écrit ceci : « En premier lieu, je "vois" ma balle à l'endroit où je veux qu'elle s'arrête, belle et blanche, bien placée sur la luisante herbe verte. Ensuite, la scène se modifie rapidement, et je vois la balle qui se rend à l'endroit que j'ai choisi : sa trajectoire, son envol, sa courbe et même la manière dont elle atterrit. Ensuite, il y a une espèce de *fade-out* et, dans la scène suivante, je vois la sorte d'élan qui va transformer les images précédentes en réalité*. » Fred Couples fait un peu la même chose, mais il se sert aussi de la mémoire du golfeur intérieur en lui. Juste avant de frapper sa balle, il se rappelle le meilleur coup qu'il a frappé avec le bâton qu'il tient dans ses mains et tente de répéter ce coup. C'est sa manière de donner des

* Extrait de *Golf My Way*, de Jack Nicklaus, traduction libre.

ordres à son génie intérieur. Il donne un ordre visuel. Il ne se dit pas : « Il ne faut pas que j'aille hors des limites, que je dépasse le vert, que ma balle se retrouve dans une fosse de sable. » Il exclut toutes ces images, toutes ces pensées négatives de son esprit et visualise le coup qu'il souhaite jouer en ne laissant aucune place à son génie intérieur pour l'interprétation, en s'assurant surtout de ne pas lui donner d'ordres contradictoires, ce qui malheureusement, comme dans l'histoire du touriste, arrive souvent lorsqu'on emploie une négation dans ses ordres. Il se contente, mais ce n'est pas nécessairement facile, de voir le résultat idéal. On dit des grands joueurs de coups roulés qu'ils ont une confiance inébranlable même devant des roulés de trente pieds, et qu'ils sont toujours convaincus qu'ils peuvent les réussir. Il est plus important devant un roulé d'être sûr de soi, d'être confiant, que d'évaluer avec précision la courbe, la distance, mais de ne pas être convaincu de réussir le roulé. Parce que si vous êtes simplement juste dans votre lecture d'un roulé, mais que vous n'avez pas confiance de le caler, si vous ne le voyez pas déjà tombé avant de le frapper, vous le raterez plus souvent, vous raterez même des roulés faciles de deux ou trois pieds. Alors que le grand golfeur, le golfeur qui cultive l'état brillant de la confiance, qui voit sa balle tomber merveilleusement dans le trou, même à vingt-cinq pieds, réussit plus de roulés, même si bien entendu il ne les fait pas tous. Le grand golfeur est habité par cette pensée, par cette conviction que certains trouveront absurde, et qui est en fait magique, qu'il peut réussir chaque roulé, même un roulé monstrueusement long et difficile et même si les statistiques sont contre lui et qu'il n'a qu'une chance sur cent de faire un roulé de trente pieds. Il fait confiance en la vie, en la puissance infinie de son génie intérieur.

— Ça me paraît un peu simple.

— Qui a dit que le succès devait être compliqué ?

— J'ai manqué une bonne occasion de me taire...

— Non, non, pas du tout. C'est seulement que, comme à plusieurs reprises depuis que nous avons fait connaissance, vous partagez les idées reçues, les clichés de la majorité. Or la majorité malheureusement ne réussit pas. Il faut donc se méfier de ce que la majorité des gens pensent.

— À l'avenir, je vais tenter de penser par moi-même...

— C'est le plus grand service que vous puissiez vous rendre...

Le millionnaire semblait en avoir terminé avec ce sujet, mais il ajouta alors :

— En faisant de la vision du coup idéal sa pensée dominante, le grand golfeur emplit pour ainsi dire tout l'espace de son esprit. Il ne laisse pas le choix au golfeur intérieur et le protège contre des ordres contradictoires, des manifestations d'états sombres, toujours néfastes. En affaires, j'ai constamment mis à mon service ces lois de l'esprit. Avant d'entreprendre de grands projets, qui souvent semblaient fous ou irréalisables aux autres, ceux qui sont « raisonnables », je les *voyais* déjà comme une réussite. Bien entendu, j'avais aussi fait des études de marché, j'avais évalué les coûts, les risques. Mais je dirais que le plus important est que j'avais vu le succès. Avec discernement, avec prudence, avec la confiance en l'infaillibilité de ces grandes lois spirituelles, je nourrissais mon génie intérieur des images, des événements, des rencontres et des succès que je voulais voir se réaliser dans ma vie.

— Je constate que j'ai beaucoup de chemin à faire... admit le golfeur avec une humilité qui toucha le millionnaire. Au cours des années, j'ai connu tant d'échecs, tant de déceptions que je n'ai plus une grande confiance, une grande foi dans mes moyens...

— Vous aurez peut-être un travail long et ardu à effectuer, mais, comme dit le proverbe chinois : « Un voyage de mille lieues commence par un pas. » Commencez dès le prochain coup, visualisez le coup idéal, emplissez-en votre esprit. Mais allez plus loin et le soir, avant de vous mettre au lit, communiquez avec votre golfeur intérieur. Pour devenir ce que vous voulez vraiment, sincèrement devenir, pour vous améliorer, répétez une centaine de fois, de préférence à haute voix, la formule modifiée du modeste mais génial pharmacien Émile Coué : « De jour en jour, à tout point de vue, je vais de mieux en mieux et je deviens un grand golfeur. » Essayez pendant quelques jours, faites confiance en la magie des lois spirituelles. Vous serez surpris de la transformation qui s'opérera en vous bientôt. Et bien plus tôt que vous ne croyez, car vous êtes au seuil d'une transformation qui vous étonnera et renversera tous vos amis. Le bon vin remplacera en vous le vinaigre du passé. Vous baignerez constamment dans les états brillants du golfeur. Chaque coup nouveau vous rapprochera de votre idéal et, surtout, de l'état d'esprit que vous voulez atteindre pour devenir le grand champion qui sommeille en vous depuis des années et qui ne demande qu'à être réveillé pour accomplir des exploits remarquables. D'ailleurs, vous avez déjà entrevu cet état lorsque vous traversiez une série gagnante, que vous faisiez successivement des normales ou des *birdies.* Sur le coup, vous aviez l'impression de jouer au-dessus de votre tête, comme dit l'expression. Au contraire, dans ces moments magiques, vous laissiez simplement se manifester en vous les états brillants du golfeur, qui sont toujours là, à votre portée, et qui ne demandent qu'à être cultivés. Non, vous ne jouiez pas au-dessus de votre tête, vous aviez simplement un aperçu de vos véritables possibilités. Vous étiez en avion au-dessus des nuages. Maintenant vous vous rendez compte que vous avez en main un billet d'avion permanent et que vous n'êtes pas obligé de vous morfondre sur terre, sous un ciel couvert. Vous pouvez vous élever à votre véritable altitude ! Vous pouvez atteindre votre état naturel, après avoir accepté trop longtemps, par simple ignorance, par fausse croyance, de végéter en dessous de vous-même !

Le golfeur était troublé par le discours du millionnaire. Personne, en effet, ne lui avait jamais parlé ainsi, avec tant de conviction, tant de chaleur. Et personne, même parmi ses professeurs de golf et ses collègues professionnels, ne lui avait jamais tenu un discours aussi original.

— Lorsque vous aurez atteint cet état remarquable, reprit le millionnaire, non seulement votre jeu en sera-t-il complètement transformé, mais vous ne serez plus le même homme. Vous serez devenu celui que vous étiez destiné à être. Vous vivrez constamment dans des états brillants du golfeur, dont ceux que je vous ai décrits sommairement ne sont qu'un fade avant-goût. Vous goûterez alors au nectar des dieux ; et vous comprendrez que tout ce que vous avez fait comme golfeur ne constituait au fond qu'une ascèse pour discipliner votre esprit et surtout, ultimement, pour apprendre, une fois que vous vous serez débarrassé de votre vieux moi étriqué, à connaître qui vous êtes vraiment. Délivré de vos vieilles habitudes, des fausses idées que vous aviez de vous-même, de vos béquilles, vous contemplerez votre véritable nature. Vous comprendrez que, quoi qu'aient pu en dire les autres – vos collègues, vos parents, vos prétendus amis –, vous avez en vous le germe d'un grand champion. À partir d'aujourd'hui, chaque coup, chaque partie, chaque tournoi sera un pas nouveau vers l'accomplissement de vos rêves. Et puis, vous connaîtrez d'autres états encore plus glorieux. Une lumière se dégagera de vous, vous entourera comme un halo, tant les états brillants du golfeur seront magnifiés en vous. De quelque côté que vous vous tourniez, vous pourrez cueillir et savourer les pommes d'or de la victoire. Et un jour, si vous persévérez, vous atteindrez l'état le plus exalté, l'état suprême parmi les états brillants du golfeur.

— Quel est cet état ? demanda avec curiosité le golfeur.

10

Où le golfeur découvre le véritable amour du golf

— Cet état, c'est simplement l'amour. L'amour véritable du golf. Lorsque vous aurez appris à aimer chaque situation dans laquelle vous vous trouvez, même les situations difficiles, qui auparavant provoquaient en vous la colère, la haine, la frustration, lorsque vous aurez atteint le détachement du grand golfeur, alors, du même coup, le flot de l'amour coulera en vous. Vous verrez chaque position de votre balle, chaque trou, chaque partie, chaque tournoi comme une aventure fascinante, une aventure qui vous permettra de parfaire indéfiniment votre connaissance du golf. Car le golf est un sport qu'aucun joueur, aussi grand soit-il, ne pourra jamais maîtriser complètement, et c'est peut-être ce qui en fait la fascination. Mais c'est un sport qu'un golfeur peut apprendre à aimer parfaitement, lorsque se manifeste en lui cet état brillant qu'est l'amour. Lorsque cet état brillant s'exaltera encore plus en vous, il s'étendra à toutes les situations de votre vie, à tous les êtres que vous rencontrerez. Alors vous aurez la certitude profonde que toute situation, même la plus difficile, est parfaite. Votre vision du golf et de la vie se transformera.

— Encore une fois, je suis tenté de dire que cela semble trop simple pour être vrai...

— Et pourtant, l'amour est le défi le plus difficile et l'accomplissement le plus extraordinaire. Plus que l'ambition, plus que la persévérance, plus que la détermination, plus que la faculté de visualiser, plus que le courage, plus que la pratique acharnée, c'est ultimement l'amour véritable du golf qui vous permettra d'atteindre les plus hauts sommets. Car l'amour est supérieur et contient tous les autres états brillants. Il en est l'aboutissement. Saint Paul ne jouait pas au golf. Mais ce qu'il a dit un jour résume l'idéal du grand golfeur. Ces paroles, en tout cas, m'ont constamment guidé dans ma vie d'homme d'affaires, m'ont soutenu dans les périodes sombres que j'ai traversées.

Le millionnaire marqua une brève pause, puis, le visage transfiguré, le regard lointain, il dit, citant saint Paul de mémoire :

— « Même si je parviens à parler dans la langue des hommes et des anges, mais que je n'ai pas l'amour, je ne suis qu'un gong bruyant, une cymbale retentissante. Et si j'ai des pouvoirs prophétiques, et que je comprends tous les mystères et que j'ai toutes les connaissances, et si j'ai une foi si puissante que je peux soulever les montagnes, mais qu'en même temps je n'ai pas l'amour, je ne suis rien. L'amour est patient et attentionné, l'amour n'est pas jaloux ou orgueilleux, il n'est ni arrogant ni brutal. L'amour ne cherche pas à prouver qu'il a raison. Il n'est ni colérique ni vindicatif. Il ne se réjouit pas du malheur des autres, mais se réjouit de leur bonheur. L'amour porte toute chose, croit en toute chose, espère en toute chose, supporte toute chose. L'amour ne prend jamais fin. »

Il se tut un instant. Et le golfeur ressentit une émotion extraordinaire, une émotion qu'il n'avait jamais éprouvée de toute sa vie. Cette envolée l'avait touché droit au cœur, d'une manière mystérieuse qu'il ne s'expliquait pas. Ses yeux devinrent humides. Le millionnaire poursuivit :

— Si vous n'aimez pas le golf, inutile de continuer à caresser les ambitions que vous nourrissez actuellement. Oubliez tout de suite l'idée de devenir un jour champion.

— Mais j'aime le golf, protesta tout de suite le golfeur.

— Si vous l'aimez, dit le millionnaire avec un début d'impatience, pourquoi vous êtes-vous mis en colère au trou précédent ?

Le golfeur pensa que le vieil homme avait raison, mais s'émerveilla du même coup de la quantité phénoménale d'enseignements qu'il avait pu tirer des quelques simples coups qu'il avait joués. Après tout, il n'avait pas même terminé le deuxième trou encore ! Il n'avait pas eu le temps de bafouiller son début de réponse que le millionnaire poursuivait sur sa lancée :

— Qui êtes-vous pour croire que vous ne devriez rater aucun coup, alors que les plus grands champions en ratent ? Qui êtes-vous pour croire que vous avez le droit de vous mettre en colère ? Avez-vous pensé que bien des gens donneraient tout ce qu'ils ont pour posséder, comme vous, un corps en santé qui leur permettrait de pratiquer ce noble jeu, de marcher dans l'air frais du matin, de fouler ces merveilleuses allées vertes, de contempler ces arbres magnifiques ? Êtes-vous déjà rendu si vieux que vous grinciez à la première contrariété ? Êtes-vous à ce point gâté, blasé, aveugle que vous ne voyiez pas la chance exceptionnelle que vous avez d'être en vie ? Si vous aimez vraiment le golf, il ne faut pas que votre amour se limite à des paroles vaines. Lorsque la colère s'élève en vous, mais que vous continuez à prétendre aimer le golf, rappelez-vous les paroles de saint Paul : « Sans amour, je ne suis rien. » Sans amour, le golfeur non plus n'est rien et ne deviendra jamais un grand joueur. Parce que l'amour est patient et attentionné. Parce que l'amour n'est pas arrogant ni violent, il n'est pas irritable ni vindicatif. Parce que l'amour endure tout. Ainsi est le grand golfeur. Mais trêve de paroles, trancha le millionnaire. La théorie est une chose, elle ne vaut toutefois pas la pratique. Alors, montrez-moi si vous avez saisi ce que je viens de dire. Jouez ce coup. N'oubliez pas de ne laisser fleurir en vous que les états brillants du golfeur.

11

Où le golfeur apprend à vaincre la colère

Le golfeur évalua son coup, vérifia la position de sa balle, qui n'était pas si mal bien qu'elle se trouvât dans l'herbe haute, et estima qu'il pourrait atteindre ce trou à normale 5 en deux coups, ce qui lui permettrait, après son mauvais coup de départ dans le bois, de limiter les dégâts et de s'en tirer possiblement avec un boguey, peut-être, avec un peu de chance, si son coup était exceptionnel, avec une normale. Il visualisa son coup, prit bien son temps, mais alors qu'il amorçait son élan arrière, son visage, détendu jusque-là, se crispa en une grimace agressive.

Il fit un bon contact avec la balle, mais malheureusement celle-ci fit un crochet et tomba dans un petit étang à la gauche de l'allée. Le golfeur pesta. Ce n'était vraiment pas sa journée ! Il remit un peu brusquement son bâton au cadet, grommela pour lui-même quelques injures.

Le millionnaire esquissa un sourire et demanda :

— Que s'est-il passé ?

— Je crois que j'étais encore furieux d'avoir envoyé ma balle dans le bois et, au dernier moment, je me suis dit : « Je vais tuer cette balle stupide ! »

— Vous voyez que ce n'est pas si simple que vous pensiez de contrôler son esprit et de ne laisser s'épanouir en soi que des états brillants du golfeur...

— Je m'en rends compte, en effet...

— Vous vous êtes laissé gagner par la colère, qui est un des plus néfastes parmi les états sombres du golfeur.

— Je réalise que j'ai perdu ainsi beaucoup de coups, dans des parties souvent très importantes... Je ne savais pas que la colère était un état sombre du golfeur.

— Le grand golfeur aborde chaque coup comme un coup indépendant, sans lien émotif avec le coup précédent. Car, sauf exception, la colère est mauvaise conseillère et n'aide pas le golfeur à faire un bon coup. En général, elle l'amènera à s'enfoncer davantage, à saboter sa propre partie, à s'autodétruire. Car au fond, en se fâchant contre un coup, contre un trou, contre le jeu de golf lui-même, contre le terrain ou contre la vie, le golfeur laisse la haine s'exprimer... La haine, contraire à l'amour dont je viens de parler, est présente en chacun de nous, hélas ! et nous guette comme un brigand, attendant seulement notre première distraction, notre premier mouvement de faiblesse pour nous voler notre paix et notre bonheur. Bouddha a dit : « Jamais la haine n'a apaisé la haine. C'est une loi ancienne. » On peut dire, de la même manière, que jamais un état sombre du golfeur n'a donné lieu, lorsqu'on y a cédé, à un état brillant. Car le golf exige du caractère, de la discipline, et le plus grand ennemi du golfeur, c'est lui-même et non ses adversaires. Le joueur inattentif aux états sombres qui jaillissent en lui se bat souvent lui-même bien avant d'être battu par ses adversaires, même les plus redoutables. Comme le gladiateur qui descendait dans l'arène affronter les lions, le golfeur, ultimement, est toujours seul. Seul avec ses pensées, seul avec ses angoisses, seul avec ses doutes, seul avec ses colères. En vérité, autant pour le golfeur amateur que pour le grand champion, le golf est une sorte de dialogue intérieur entre le joueur et ses pensées.

— Je n'avais jamais vu les choses ainsi, mais je me rends compte que j'ai perdu beaucoup de parties parce que j'avais effectivement perdu le contrôle de mes pensées. J'étais en colère, j'étais anxieux, j'étais découragé.

— C'est merveilleux, dit avec une sincérité et un enthousiasme surprenants le millionnaire.

— Merveilleux ?

— Oui, c'est merveilleux de prendre conscience de la source de son malheur, de ses échecs. C'est le premier pas vers la transformation. Si vous ignorez ce qui vous a fait rater un coup, comment voulez-vous vous améliorer ?

— Je sais que je n'aurais pas dû me fâcher, admit le golfeur, un peu honteux. Mais il est difficile de se contrôler.

— Il y a un secret, une méthode.

— Vraiment ?

— Oui. La méthode de l'arrêt. Elle est simple. Observez continuellement vos pensées avant chaque coup. Dès que vous voyez un ou plusieurs états sombres poindre – ils s'associent souvent comme des voleurs de grands chemins et vous volent votre trésor, votre paix intérieure, votre idéal –, arrêtez-les. Dites-vous intérieurement : « Stop ! » Parlez à vos pensées comme si vous vous adressiez à des fantassins indisciplinés. C'est vous le général, pas vos pensées. Si vous laissez vos pensées vous diriger, vous courez vers la déroute, aussi sûrement que si un général laissait vingt soldats prendre les décisions à sa place, sans même qu'ils se consultent entre eux. Imaginez le désordre, la confusion ! N'est-ce pas pour cette raison que tant de golfeurs, tant d'hommes vivent dans un état de confusion intérieure si profond qu'ils ne savent plus du tout où ils vont avec leur vie ? Vos pensées doivent être à vos ordres. Aussi, soyez vigilant, chassez les pensées indésirables et retournez-les dans le néant d'où elles viennent. « Regroupez »-vous et choisissez les états brillants qui doivent précéder chacun de vos coups, même le moins important en apparence. Parce que, sur la carte de pointage, il n'y a pas de grands ni de petits coups. Chaque coup compte pour un coup ! Combien de fois n'avez-vous pas perdu un tournoi ou une partie en vous disant : « Si j'avais fait plus attention à ce petit roulé de deux pieds... » ou « Si je ne m'étais pas emporté et avais tenté de sauver un boguey au lieu de mettre une croix sur ce trou et de me contenter d'un double, j'aurais joué une partie exceptionnelle... J'aurais gagné... » ? Le grand golfeur doit aborder chaque coup comme un père impartial agit envers chacun de ses enfants, en parfait démocrate, qui n'en favorise aucun, veille au bien-être de tous sans égard au talent ou aux capacités...

— Je vais m'y efforcer...

— Un coup raté n'est rien et ne devrait pas hypothéquer le coup suivant. Hélas ! beaucoup de golfeurs, même parmi les meilleurs, réagissent à un mauvais coup ou à une mauvaise partie comme certains hommes d'affaires que j'ai connus. À leurs débuts, ils ont subi un échec dont ils ne se sont jamais relevés. Et pourtant, ils avaient souvent des dispositions extraordinaires, ils étaient plus doués que moi, pouvaient compter sur des alliés et des capitaux plus importants... Si j'avais pensé comme eux – j'insiste sur le mot « penser » –, nous ne serions pas ici en train de jouer sur mon terrain de golf privé... Parce que j'ai essuyé de nombreux échecs...

— Comment avez-vous réussi à les surmonter ?

— Je crois tout simplement que j'avais vraiment la passion de ce que je faisais... Alors, que pouvaient être pour moi quelques échecs, quelques obstacles ou quelques contrariétés ? À tort ou à raison, je les ai toujours considérés comme des taquineries du destin, des petits tests pour jauger ma foi, pour forger mon caractère... Et puis j'ai toujours eu une confiance inébranlable dans la victoire finale... J'ai toujours été persuadé qu'ultimement j'atteindrais mes buts et que je deviendrais ce que je voulais devenir... La vie est étrange. Lorsqu'elle voit qu'on ne cède pas devant les obstacles, les difficultés qu'elle sème sur notre chemin, lorsqu'elle voit que rien ne sape notre détermination, à la fin, comme une courtisane séduite, elle nous donne tout ce qu'on lui a demandé...

— Mais vous, croyez-vous que je puisse devenir un jour un grand golfeur, que je puisse un jour réaliser mon rêve ?

— Ne pensez-vous pas que vous devriez commencer par vous poser vous-même cette question ?

12

Où le golfeur décide de jouer le tout pour le tout

Après la partie, le millionnaire et le golfeur s'attablèrent devant un bon repas et reprirent leur conversation là où ils l'avaient laissée.

— Vous ne m'avez pas répondu, tout à l'heure, lorsque je vous ai retourné votre question, dit le millionnaire.

Le golfeur plissa les lèvres. Il croyait que le millionnaire avait oublié cette question embêtante. Mais le vieil homme semblait justement avoir le don de ne rien oublier et surtout de poser les bonnes questions, les questions les plus embarrassantes.

— Je... J'ai un emploi stable de toute manière, alors la question ne se pose plus...

— Évidemment, dit le millionnaire, si vous fuyez...

— Si je fuis ?

— Si vous n'osez pas quitter votre emploi, c'est peut-être que vous ne croyez pas en vous. Et si vous ne le quittez pas, vous ne pourrez jamais devenir un champion, vous ne pourrez jamais avoir la preuve que vous aviez le talent... C'est donc une question de foi, comme vous le voyez. Et c'est pour cette raison que je vous demande si vous croyez en vous, en vos chances...

— Si je... Si je n'avais pas à gagner ma vie, je crois que je tenterais ma chance une dernière fois...

Le millionnaire tira son carnet de chèques de sa poche, le posa sur la table devant lui, prit un stylo et dit :

— Vous avez gagné ce matin dix mille dollars...

— Onze mille, se permit de préciser le golfeur.

Le millionnaire grimaça, comme si le golfeur lui rappelait un mauvais souvenir.

— Oui, onze mille. Vous avez besoin de combien de plus pour tenter votre chance une nouvelle fois ?

Et, disant cela, il ouvrit son carnet de chèques, y inscrivit la date, le nom du golfeur, puis regarda ce dernier en attendant de toute évidence une réponse.

— Je... je ne sais pas...

— Vous avez peur, maintenant. Ne me dites pas que vous faites partie de ces gens qui répètent que s'ils avaient la chance de démarrer leur affaire, de rencontrer telle personne dont ils sont amoureux, ils se lanceraient, ils se marieraient sans hésitation... Et qui, une fois qu'ils ont cette chance, se mettent à reculer, parce que dans le fond ils ont peur... Parce que, dans le fond, ils ont toujours menti aux autres. Et, ce qui est pire, à eux-mêmes.

— Non, ce n'est pas une question de peur.

— C'est une question de quoi, alors ?

— D'argent...

— Mais je vous offre de régler ce problème, dit avec un brin d'impatience le millionnaire. Je suis prêt à vous signer un chèque. Je vous demande seulement de combien vous avez besoin. Franchement, je commence à croire que vous avez un sérieux problème avec l'argent. Peut-être est-ce pour cette raison que vous n'en avez jamais gagné... Alors... J'attends...

— Cet argent...

— Je vous le prête sans intérêt pendant trois mois, si ça peut vous convaincre... D'ici trois mois, vous aurez eu le temps de vous qualifier pour le *U.S. Open* et d'y participer...

— Et si je ne réussis pas et si je ne...

— Si vous continuez à accumuler les raisons pour lesquelles vous devriez hésiter à plonger, je vais réellement croire que je me suis trompé à votre sujet et que je ne devrais pas vous passer cet argent...

— Écoutez, dit le golfeur, qui sentait le danger de perdre un allié, j'accepte... Prêtez-moi ce que vous voudrez... Je me débrouillerai...

— Bon, dit avec un large sourire le millionnaire, enfin une parole positive...

Il leva la tête, parut réfléchir un instant, puis suggéra :

— Vingt-cinq mille ? Ça ira ? Ça vous fera un total de trente-six mille. Ce n'est pas le pactole, mais vous pourrez quand même tenir trois mois, non ?

— Euh... dit le golfeur, sans trop savoir comment réagir à une offre dont la générosité dépassait largement ses plus folles attentes. Je... Je crois qu'en effet je vais pouvoir me débrouiller.

— Vous voulez plus ? C'est ça ?

— Non, non, vingt-cinq mille me suffisent.

— Bon, dit le millionnaire en remplissant le chèque, qu'il arracha et remit au golfeur. C'est une affaire entendue.

Et pendant que le golfeur contemplait avec scepticisme et excitation le chèque, le millionnaire prit une clochette et sonna.

— Voulez-vous que... que je vous signe un papier ?

— Un papier ? Pourquoi faire ?

— Une reconnaissance de dette, je ne sais pas moi...

— Décidément, dit le millionnaire, vous avez un vrai problème de confiance. J'ai votre parole ?

— Oui.

— Alors, je n'ai pas besoin de « reconnaissance de dette », comme vous dites... Si, à mon âge, je ne peux pas juger de l'honnêteté d'un homme, eh bien, je mérite de me faire rouler. D'ailleurs, personne ne se fait jamais rouler, au fond... Lorsque votre cœur est pur, et parfaitement honnête, même les personnes malhonnêtes n'ont d'autre choix que d'être honnêtes avec vous dans les affaires d'argent autant que dans celles du cœur... En réalité, lorsqu'une personne vous vole, c'est que c'était inscrit dans le grand livre du ciel, que ça devait arriver. C'est que la chose qui vous a été volée ne vous appartenait pas, que vous l'aviez gagnée injustement, que vous aviez peut-être vous-même volé cette personne dans le passé ou aviez été injuste à son endroit, et par conséquent une faute ancienne a été réparée. Ainsi, au lieu de vous léser, ce vol rétablit la justice, vous libère d'un fardeau et, par la même occasion, vous rapproche de la liberté finale... Car on n'est jamais libre, on n'est jamais parfaitement heureux tant qu'il nous reste des fautes anciennes à effacer... Cela dit, je n'encourage certes pas le vol, qui est un crime... Car lorsqu'on vole un autre, ultimement c'est soi-même qu'on vole...

— En tout cas, dit le golfeur, je ne sais comment vous remercier... J'espère que vous n'aurez pas à regretter la confiance que vous mettez en moi...

— Allez-vous arrêter à la fin d'être si craintif et si pessimiste ! protesta le millionnaire.

— Je m'excuse...

— Votre problème de confiance est vraiment pire que je ne croyais. Nous n'avons pas beaucoup de temps devant nous pour y remédier, mais je pense qu'il y a un moyen de prendre un raccourci, dit-il d'une façon un peu énigmatique.

Le valet que le millionnaire avait sonné parut enfin.

— Henri, comme notre ami se retrouve sans voiture par notre faute, voulez-vous demander à Edgar de lui montrer dans le garage celle que nous allons mettre à sa disposition au cours des prochaines semaines...

— Bien sûr, monsieur.

– Vraiment, protesta le golfeur, ce... ce n'est pas nécessaire...

— Écoutez, dit le millionnaire, cela me fait vraiment plaisir, et, croyez-moi, nous aurons encore tout ce qu'il nous faut ici...

Lorsque, quelques minutes plus tard, Edgar ouvrit la porte de l'immense garage devant lui, le golfeur comprit à quel point le millionnaire avait dit juste.

En effet, il y avait au bas mot une douzaine de voitures alignées dans le garage. Et pas les moindres. Deux Jaguar donnaient le ton, pour ainsi dire, suivies de deux Rolls. On pouvait également admirer deux ou trois Mercedes, une Porsche Carrera, une limousine blanche, quelques B.M.W. et, enfin, une Ferrari rouge, qui retint particulièrement l'attention du golfeur.

— Laquelle voulez-vous ? demanda Edgar le plus naturellement du monde, ce qui ne manqua pas de surprendre le golfeur.

Quoi, on lui donnait la possibilité de choisir ? Il eut envie à nouveau de se pincer, comme un peu plus tôt dans la journée.

— Je... je peux choisir ?

— Mais parfaitement... je ne vous recommande cependant pas la limousine, qui est, vu sa taille, d'une conduite particulière...

Le golfeur s'avança, excité, comme un enfant dans une confiserie. Jamais de sa vie il n'avait vu tant de belles voitures dans un garage privé. Le millionnaire devait être vraiment richissime pour posséder – et entretenir – toutes ces bagnoles ! Il s'arrêta devant la rutilante Ferrari. Il avait toujours rêvé d'en conduire une. Il se tint un instant devant la voiture de ses rêves, sans oser la désigner autrement que par son silence admiratif.

— C'est celle que vous choisissez ?

— Oui, balbutia le golfeur avec émotion.

Edgar se dirigea vers un petite armoire murale dont il ouvrit la porte. Elle contenait les clés des voitures. Il repéra celles de la Ferrari, les prit et s'avança vers le golfeur, toujours plongé dans son extase silencieuse.

— C'est curieux que vous choisissiez cette voiture. On dirait qu'elle vous attendait. Jamais personne ne l'avait conduite depuis que monsieur l'a acquise.

En conduisant pour la première fois la Ferrari, si puissante, si nerveuse, le golfeur ne put s'empêcher de penser à quel point la vie pouvait réserver des surprises. La veille, désespéré, il avait failli trépasser dans un terrible accident.

Et voilà qu'il avait en poche plus de trente-cinq mille dollars, dont vingt-cinq mille étaient empruntés sans doute mais tout de même, et qu'il roulait au volant d'une Ferrari !

Il ne pouvait se défendre contre un sentiment de fierté, d'exaltation, même s'il avait toujours eu la conviction que les biens matériels sont éphémères et ne sont pas ce qui compte le plus au monde. N'empêche qu'il se sentait mieux que la veille et que ses horizons lui paraissaient plus vastes.

Cette voiture était parfaite, au-delà de tout ce qu'il avait jamais espéré. Mais il lui manquait un petit quelque chose : tout simplement sa chère musique des Rolling Stones. Problème mineur qu'il régla sans difficulté en faisant un rapide arrêt à la première boutique de musique sur laquelle il tomba et où il acheta une cassette des *greatest hits* des Rolling Stones.

Ce n'était pas un cocktail aussi parfait que celui de sa propre composition, qui avait été détruit dans l'accident, mais cela suffisait largement. La cassette commençait par un de ses classiques préférés : *Time is on my side...*

D'ailleurs, pour la première fois de sa vie peut-être, il sentait que le temps était de son côté, comme si une ère nouvelle de son existence s'ouvrait, plus lumineuse, plus légère...

Il lui restait pourtant des choses délicates à régler : comme l'annonce au gérant du club de sa décision de prendre un congé sans solde de trois mois.

— Qu'est-ce que c'est que cette histoire ? demanda le gérant, un homme très maigre et plutôt cassant. Ce n'est pas prévu dans votre contrat. Vous ne deviez pas participer à plus de sept tournois par année. Vous me demandez trois mois...

— Oui...

— Et pour participer au *U.S. Open* ?

— Oui.

— Mais avez-vous perdu la tête ? Vous n'êtes même pas certain de vous qualifier. Et même si vous vous qualifiez, vos chances de gagner sont pour ainsi dire nulles.

— Peut-être, mais je veux tenter ma chance une dernière fois...

— Je ne sais pas d'où vous vient cette lubie soudaine. Vous venez d'avoir un accident d'auto. Peut-être à votre insu avez-vous subi un traumatisme qui vous a fait perdre le sens des réalités.

— Écoutez, j'ai été examiné, je suis en pleine forme, et ma décision est prise. À mon retour, mon jeu sera meilleur que jamais, et si je réussis à m'illustrer, cela rejaillira sur la réputation du club.

Le gérant ne l'entendait pas de la sorte.

— Je ne peux pas vous garantir votre poste à votre retour.

— J'accepte le risque...

— Je vous aurai averti.

Les deux hommes se séparèrent, et le golfeur passa à la boutique saluer les employés et récupérer son sac et ses chaussures. Il se sentait tout à coup un peu nerveux, conscient qu'il jouait le tout pour le tout, qu'il venait de compromettre son poste, sa sécurité. Mais il ne pouvait plus reculer maintenant. Il s'était engagé auprès du millionnaire et ne voulait pas trahir sa confiance.

En sortant de la boutique, il traversa le hall d'entrée pour ressortir du club et tomba par hasard sur son père, qui y remplissait les fonctions de maître d'hôtel. C'était un homme de belle prestance, grisonnant mais le visage encore plein, à peine ridé pour ses soixante ans, et qui avait légué au golfeur ses dispositions athlétiques.

— Je viens de parler au gérant. Es-tu devenu complètement fou ? lui demanda-t-il sans autre préambule, le visage rouge, l'œil brillant de colère. Tu veux tenter ta chance au *U.S. Open* ?

— Oui, papa.

— Tu vas perdre le seul emploi intéressant que tu aies jamais eu...

Des membres traversaient le hall, et le maître d'hôtel dut interrompre momentanément sa réprimande, leur sourit avec une affabilité un peu forcée, attendit qu'ils se soient éloignés puis reprit de plus belle, lançant sur un ton dérisoire :

— Le *U.S. Open*...! Tu ne te rends pas compte ! Tu n'as même jamais gagné un tournoi de deuxième ordre... Et tout à coup tu envoies tout en l'air pour une fantaisie, un rêve d'adolescent...

— Écoute, papa, je regrette de te décevoir... J'espère seulement que mon départ ne te nuira pas dans tes fonctions... Mais ma décision est prise...

Il tendit la main à son père, qui refusa de la lui serrer ; le golfeur tourna alors les talons et s'éloigna, las de cette conversation qui ne menait nulle part.

— Tu vas te retrouver dans la rue, idiot ! lui cria son père. Tu n'as aucun talent ! Tu n'en as jamais eu et ce n'est pas aujourd'hui que ça va te tomber dessus !

Le golfeur préféra ne pas répondre et conserva un visage impassible. Pourtant, lorsqu'il fut dehors, un grand chagrin monta en lui. Son père, une fois de plus, lui avait donné la preuve éclatante qu'il ne croyait pas en lui, qu'il le considérait comme un minable. Son père... Était-ce ainsi qu'un père devait se comporter ? Un père digne de ce nom ne devait-il pas faire preuve d'un peu plus de bienveillance, de compassion pour son fils ?

Mais maintenant, il lui fallait aller jusqu'au bout, jouer le tout pour le tout...

En passant devant le pavillon, il s'arrêta un instant pour saluer le jovial préposé au stationnement, Sylvain, qui, en voyant la Ferrari, leva le pouce en signe de félicitations :

— Une nouvelle voiture, pro ?

— Si on veut...

— Elle vous va bien...

L'arrogant membre à la Porsche rouge, qui revenait du vert d'entraînement et passait près de là, entrouvrit la bouche de surprise et échappa son cigare lorsqu'il aperçut le golfeur au volant de la magnifique Ferrari.

Comment se faisait-il qu'un simple petit pro de golf sans talent réel et qui n'était probablement jamais allé à l'école – pas plus que lui d'ailleurs mais au moins lui était riche, ce qui à ses yeux rachetait tout ! – pût conduire une voiture plus belle, et surtout plus chère, que la sienne ? Une Ferrari ! La voiture de ses rêves, qu'il ne pouvait pas s'offrir parce qu'il n'était pas aussi riche qu'il se plaisait à le dire !

Il grimaça et se pencha pour ramasser son cigare, malencontreusement tombé dans une flaque d'eau laissée par l'orage de la nuit précédente, au moment même où le golfeur repartait. Ce dernier ne vit pas le joueur penché pour récupérer son cigare, passa dans la flaque d'eau et l'éclaboussa, vengeant bien involontairement le petit affront de la veille.

L'homme à la Porsche se releva, furieux, et se mit à gesticuler devant les regards amusés de Sylvain, qui se trouvait vengé lui aussi pour tous les pourboires que ce membre avare et détestable ne lui avait pas donnés au cours des années. « Somme toute, pensa fort philosophiquement le préposé, il y a une justice sur terre, ou du moins au club de golf ! »

Où le golfeur décide de jouer le tout pour le tout

Le golfeur s'éloignait, disparaissait derrière les odorants conifères de la première courbe du chemin du golf, emportant avec lui quelques ultimes hésitations. Avait-il fait le bon geste ? N'avait-il pas commis un erreur ?

Une fois arrivé à la sortie du club, aux abords de la route, il se retourna pour observer le pavillon, un très beau bâtiment de pierres grises et de bois blanc sis sur un promontoire. Ne le regardait-il pas pour la dernière fois ?

Il se retourna de nouveau et appuya un peu trop énergiquement sur l'accélérateur, laissant involontairement derrière lui quelques sous de caoutchouc. Il n'était pas encore habitué à la puissance phénoménale de ce moteur ! En roulant, grisé par le paysage, par la vitesse, il reprit confiance. Il lui fallait vivre avec ses décisions. Le club était peut-être derrière lui, il ne pourrait peut-être pas retrouver son poste dans trois mois... Mais trois mois, justement, c'était long. Il pouvait se passer une foule de choses en trois mois... En tout cas, si les événements continuaient à se dérouler au rythme des derniers jours, il ne s'ennuierait pas ! Il ne fallait pas penser au passé ! Il fallait foncer !

D'ailleurs, il était trop tard pour revenir en arrière maintenant... Il avait coupé les ponts !

Il récapitula brièvement : il avait récupéré ses bâtons, informé l'administration de ses intentions, eu avec son père une conversation « édifiante »... Il lui restait une chose à faire, une chose à laquelle il pensait constamment...

Revoir Clara... pour avoir une explication décisive.

Après de terribles hésitations, il lui téléphona, mais elle l'accueillit froidement, lui dit qu'elle n'était pas prête à le voir et écourta la conversation. Il lui sembla pourtant entendre au bout de la ligne le début d'un sanglot, et il se dit que peut-être tout n'était pas perdu.

Il fallait simplement lui donner du temps. Ne lui en avait-il pas lui-même demandé pendant des mois, des années ? Il lui devait bien cette élémentaire politesse.

13

Où le golfeur rencontre un enfant qui croit en lui

— Il n'en a plus pour très longtemps, expliqua aux parents le docteur, un docteur très digne qui inspirait immédiatement confiance.

Le père était un homme d'une quarantaine d'années, élégant dans son costume trois pièces, l'air un peu autoritaire accentué par des lunettes à grosses montures. Elle, à la fin de la trentaine, était visiblement une femme de tête, serrée dans un tailleur, un peu froide avec ses cheveux noirs lissés, visiblement mal à l'aise, impatiente d'en finir.

— Que voulez-vous dire, docteur ? demanda l'homme, le père de l'enfant, qui les attendait dans sa chambre, une petite chambre toute simple de ce grand hôpital destiné aux enfants atteints de maladies incurables.

— On ne peut jamais dire avec exactitude, dit le médecin, mais deux mois, trois mois, peut-être six mois avec de la chance... Pour le moment, son état semble stable, et il a assez de force, mais cela constitue justement une phase de ce type de cancer... Lorsqu'il y aura une nouvelle détérioration de son état, les choses vont se passer très rapidement... Je sais que ce n'est pas agréable à entendre pour des parents, mais j'ai toujours considéré qu'il valait mieux dire la vérité plutôt que de cacher les choses, surtout aux parents... Aux enfants, je ne la dis pas, je laisse les parents décider, comme je vous l'expliquais...

— De toute façon, dit la femme d'une voix très décidée, presque dure, pour nous ça ne change rien. Mon mari et moi, nous nous séparons, et comme nous avons adopté Paul il y a seulement deux ans, et que de toute manière il est condamné... Enfin, nous n'avons pas l'intention de l'abandonner, mais nous ne pouvons ni l'un ni l'autre nous en occuper au cours des prochains mois... Alors il ne faut pas nous montrer égoïstes, il faut penser à lui avant tout, à son bien. Et il est évident qu'il sera mieux ici, avec tous les soins, qu'avec nous qui partons chacun de notre côté pour d'autres villes... Vous comprenez, n'est-ce pas, docteur ?

— Je comprends, dit le médecin, qui pourtant les jugeait sévèrement du regard.

Le mari semblait partager l'indignation muette du médecin, penchait la tête, honteux, tentait de sourire, comme s'il avait été forcé de prendre cette décision.

Ils entrèrent dans la chambre, où le petit Paul les attendait, un charmant garçonnet d'une dizaine d'années, avec une belle tête blonde bouclée, des yeux noirs très intenses rendus expressifs par la maladie.

— Maman et papa vont partir en voyage, Paul, dit la mère.

— Vous allez revenir quand ?

— Nous ne savons pas au juste, expliqua sa mère adoptive, mais tu ne dois pas t'inquiéter. Et si tu es sage, nous allons te rapporter de beaux cadeaux.

— C'est vrai ce que tu dis, maman ?

— Mais bien sûr que c'est vrai, répondit-elle avec embarras, comme si elle sentait qu'il avait perçu son mensonge. Mais il va falloir que tu promettes d'être bien sage...

— C'est promis, dit l'enfant, c'est promis.

Il ouvrit les bras, pour que sa mère le serre bien fort avant son départ, et déclara :

— Je t'aime tellement, maman…

Puis son père, honteux, le serra aussi dans ses bras.

— Je t'aime, papa… Merci d'être mes parents…

— Nous aussi nous t'aimons, Paul. Nous aussi…

Et, les larmes aux yeux, le petit enfant regarda ses parents quitter la chambre, sans savoir qu'il les voyait pour la dernière fois de sa vie.

En sortant de la chambre, ils tombèrent sur le millionnaire qui, curieusement vêtu en roi mage et accompagné de son chauffeur, déguisé lui aussi, conversait avec le médecin. Ce dernier expliquait aux deux hommes le destin peu banal de l'infortuné garçonnet.

Le millionnaire jeta un regard sévère en direction des deux parents, qui s'éloignèrent d'un pas pressé, comme deux voleurs.

Ce n'était pas par hasard que le millionnaire se trouvait dans cet hôpital. Il avait, parmi ses diverses œuvres philanthropiques, fondé un organisme, qu'il continuait à soutenir, dont le but était on ne peut plus louable : aider les enfants en phase terminale à réaliser leur vœu le plus cher.

Quelques minutes plus tard, lui et Edgar faisaient rire le gamin avec leur déguisement, leurs simagrées et leurs plaisanteries. Enfin, le millionnaire posa la question :

— Mais dis-moi maintenant, mon cher petit Paul, qu'est-ce que c'est ton souhait ? Quelle est l'expérience que tu aimerais le plus vivre ?

— Je peux demander n'importe quoi ? dit le garçon, tout excité.

— Je ne sais pas si je vais pouvoir le réaliser, mais tu peux toujours demander.

— Eh bien, dit l'enfant, les yeux tout brillants, ce que j'aimerais le plus, c'est de jouer au golf avec le plus grand golfeur du monde.

— Tu joues au golf, toi, Paul ?

— Oh, j'ai encore un handicap de douze, mais je joue depuis trois ans seulement...

— Douze, mais c'est excellent ! Tu joues mieux que moi, qui m'entraîne à ce sport depuis une éternité. Et si tu jouais avec notre ami le roi-nègre, il faudrait que tu lui donnes au moins dix coups...

Le chauffeur se laissa taquiner de bonne grâce. Pendant ce temps, le millionnaire réfléchissait à une astuce, à une manière de faire d'une pierre deux coups. Il pensa en même temps à la merveilleuse – et souvent secrète – perfection de la vie.

— Alors, Paul, demain, ça t'irait pour jouer une partie de golf avec lui ?

— Avec qui ? Avec...

Il ne termina pas et, le front traversé d'une ride, tendit un doigt dubitatif vers le chauffeur, hilarant dans son déguisement. Edgar eut d'ailleurs un mouvement un peu brusque qui faillit lui faire perdre sa couronne. Il la rétablit de justesse, sourit de toutes ses dents blanches.

— Non, pas avec lui, dit le millionnaire, avec le plus grand golfeur du monde...

✣

Lorsque le golfeur et le millionnaire retrouvèrent le petit Paul, le lendemain matin – il avait passé la nuit à la résidence du généreux vieil homme –, le gamin cueillait des roses dans l'immense roseraie. Avec le sans-gêne de son âge, et devant une telle abondance, il avait pris la liberté de composer un immense bouquet, sous le poids duquel il semblait ployer. En voyant les deux hommes, il sourit largement, découvrant des dents très belles et parfaitement alignées.

— C'est un bouquet pour ma maman, s'empressa-t-il de déclarer. Je vais le lui donner quand elle va revenir de voyage la semaine prochaine...

— C'est... c'est gentil, dit le millionnaire, qui semblait ému.

Le golfeur aussi était ému, et il eut de la difficulté à retenir ses larmes. Le millionnaire lui avait tout raconté au sujet de l'enfant : sa maladie incurable, qui le condamnait à mourir quelques mois plus tard, l'abandon cruel de ses parents adoptifs, et aussi le petit mensonge pieux quant à son statut de golfeur... Et de voir que le garçon croyait encore en l'amour de sa mère, qu'il l'aimait tant, que son premier soin, en arrivant chez le millionnaire, avait été de lui préparer un bouquet de roses, tout cela simplement brisait le cœur de Robert...

— Paul, je voudrais te présenter le plus grand golfeur du monde...

Tout excité par cette annonce, l'enfant esquissa un large sourire et s'avança vers le golfeur. Son bouquet de roses maintenant l'embarrassait, mais Henri, qui arrivait à ce moment, l'en débarrassa avec diligence. Le petit Paul s'empressa de serrer la main du golfeur, avec une admiration visible.

— Je suis... je suis vraiment enchanté... Est-ce qu'on peut...

Il s'était tourné vers le millionnaire, mais semblait hésiter.

— Tu voudrais aller jouer une partie tout de suite ?

— Oui, si c'est possible...

— Bien sûr... Nous sommes ici pour ça, non ? Allons...

Quelques minutes plus tard, chaussés, gantés, le millionnaire, le golfeur et le gamin se retrouvèrent sur le tertre de départ du trou n° 1. Le golfeur, qui ne voulait surtout pas se montrer au-dessous de sa réputation auprès du garçon – après tout, il devait jouer comme le meilleur joueur du monde ! – frappa un spectaculaire coup de départ de trois cents verges, en plein milieu de l'allée !

— *Wow !* s'exclama le gamin. J'avais déjà vu des coups de départ comme ça à la télé, mais en personne, c'est vraiment autre chose...

Le millionnaire y alla de son habituel coup, en plein centre, à environ deux cent vingt verges. Le gamin allait frapper lorsque le petit renard Fred sortit du bois et courut dans leur direction. Il vint se planter juste devant le gamin, l'empêchant de jouer son coup.

— Fred, le tança le millionnaire. Qu'est-ce que tu fais là ? laisse notre ami jouer en paix.

Mais déjà le gamin avait laissé tomber son bâton et, charmé, s'approchait de l'animal ; nullement farouche, celui-ci se laissa caresser.

— Ce qu'il est beau ! dit le petit Paul...

— C'est Fred, le renard du golf, expliqua le millionnaire. J'ai l'impression que vous allez devenir de grands amis...

— J'en suis sûr, confirma le gamin.

Et, en le voyant, le golfeur s'attendrissait, se disait qu'il avait été idiot de refuser de s'engager avec Clara, de fonder une famille… Il aurait peut-être eu avec elle un enfant qui, un jour, aurait ressemblé à ce mignon petit garçon, à la place de quoi il se retrouvait seul dans la vie, et surtout il avait perdu le seul être qui eût cru en lui… Il est vrai cependant que ce cercle très restreint venait de s'élargir avec le millionnaire et cet enfant, qui, même à tort, croyait en lui… De toute façon, le mensonge avait été fait pour une bonne cause : assurer à un enfant quelques instants de bonheur, lui permettre de vivre un grand rêve avant de mourir…

— Maintenant, Fred, laisse notre ami en paix. Il faut qu'il joue son coup.

Curieusement, le petit renard obéit à celui qui semblait être son maître et quitta le tertre de départ. Mais il se posta bien sagement en retrait, comme un spectateur attentif.

Et il suivit les trois joueurs pendant toute la partie.

L'astuce du millionnaire fit merveille.

Car presque obligé, pour ne pas décevoir l'enfant, de jouer comme le plus grand golfeur du monde, Robert joua un neuf trous exceptionnel et rapporta une carte de… 31, cinq sous la normale !

Après la partie, le millionnaire laissa le golfeur et l'enfant bavarder un peu devant une limonade pendant qu'il s'occupait d'une nouvelle urgence présidentielle. Le renard les avait suivis fidèlement et s'était assis aux côtés de l'enfant, qui était pour ainsi dire devenu son petit maître.

— Je ne jouerai jamais comme vous, dit le gamin avec dépit.

— Mais voyons, au contraire, tu as tout le potentiel. Tu viens de jouer 44…

— Je sais, mais je voulais jouer 39… Je n'ai jamais réussi à jouer en dessous de 40…

— Tu sais, à ton âge, je ne jouais pas aussi bien que toi. À vingt ans, tu seras un champion.

— Non. Parce que je ne vivrai pas jusqu'à vingt ans.

— Pourquoi dis-tu ça?

— Parce que je sais la vérité. Ma maman m'aime trop pour me la dire, mais moi, j'ai lu ce qui était écrit par les médecins dans mon rapport médical, je n'en ai plus pour très longtemps...

— Oh! fit avec émotion le golfeur. Ne dis pas ça. Les choses finissent souvent par s'arranger. Il faut que tu croies en toi. Si tu crois vraiment que tu peux guérir, tu guériras.

— Mais si c'est une maladie incurable...

— Les médecins se sont peut-être trompés... Ça arrive, tu sais, ce genre de choses... C'est ce qu'on appelle des erreurs médicales...

— Non, ils ne se sont pas trompés... je sais que je suis malade... je le sais...

Il était devenu pâle tout à coup, et cette journée, qui avait si merveilleusement débuté, semblait vouloir se terminer sur une note triste. En regardant l'enfant, le golfeur se promit qu'il ferait tout en son pouvoir pour ne pas le laisser tomber, pour ne pas le décevoir. Oui, il ferait tout son possible pour ne pas briser le rêve du petit Paul d'avoir pu jouer avec le plus grand golfeur du monde. Il suerait sang et eau, il se surpasserait, il irait jusqu'aux confins de son talent et il gagnerait le *U.S. Open*.

14

Où le golfeur affronte les premières épreuves

Le lendemain matin, à la première heure, au lieu de se diriger vers le terrain d'exercice, le golfeur sauta dans sa Ferrari et se rendit à l'hôpital du petit Paul.

(« Sa » Ferrari... Il s'y était vite attaché comme si elle lui appartenait et il entrevoyait déjà avec nostalgie le jour où il devrait s'en séparer... À moins qu'il ne demandât à son génie de trouver pour lui, dans sa caverne aux trésors, un moyen de...)

À l'hôpital, il expliqua à une infirmière qu'il venait de la part du millionnaire. Ce véritable « Sésame, ouvre-toi ! », ce mot magique ouvrait toutes les portes, éclairait tous les visages. Il demanda à voir le rapport concernant l'enfant.

On le lui montra. Il le lut deux fois, constata qu'il n'y avait rien à faire. La maladie semblait vraiment incurable, l'espérance de vie de l'enfant se limitait à quelques mois à peine... Il allait le remettre à la très affable infirmière qui s'occupait de lui lorsqu'une idée germa dans son esprit. L'idée lui était venue il ne savait d'où, peut-être de la vue d'une pile de rapports vierges, peut-être de son génie intérieur, dont il avait commencé à écouter davantage la voix.

Depuis quelque temps en effet, il répétait la formule magique que lui avait révélée le millionnaire : « De jour en jour, à tout point de vue, je vais de mieux en mieux et je deviens un grand golfeur... »

Et son intuition se développait. Et il découvrait de petites erreurs de golf qui, dans le passé, lui avaient coûté des coups, parfois des championnats. Il avait davantage confiance. Il sentait une étrange transformation s'opérer en lui.

Une idée était donc née dans son esprit. Il avait subitement pensé à ce qui s'était passé la veille. Pour permettre à l'enfant de réaliser son rêve, le millionnaire avait menti, il avait fait croire que Robert était le plus grand golfeur du monde.

Et ce dernier s'était pour ainsi dire plié au mensonge du millionnaire. Il avait joué de façon exceptionnelle : 31 ! Bien sûr, ce n'était pas un terrain de haut calibre. Et il avait joué sans pression aucune. Mais il lui avait quand même fallu faire cinq oiselets. Un mensonge – il n'aimait pas le mot et, pourtant, c'est celui qui lui venait spontanément ! – lui avait permis de se dépasser.

À la réflexion, il se dit que ce n'était pas un mensonge. C'était la foi.

La foi d'un enfant, qu'il n'avait pas voulu décevoir.

Et même, d'une certaine manière, qu'il n'avait pas *pu* décevoir.

La foi et les mots... Les derniers jours, le millionnaire lui avait souvent parlé de la puissance des mots...

Les mots qui peuvent littéralement tuer ou faire revivre quelqu'un...

Les mots qui influencent le golfeur intérieur, qui lui font faire des coups miraculeux mais aussi des coups lamentables...

Alors pourquoi n'utiliserait-il pas cette même puissance avec l'enfant ?

Qui sait ? Peut-être le guérirait-il...

— Seriez-vous assez gentille de me faire une copie de ce rapport ? demanda-t-il à l'infirmière.

— Mais bien entendu...

L'infirmière s'absenta un instant de son poste pour aller photocopier le document. Le golfeur subtilisa une feuille de rapport médical vierge, la plia, la glissa dans sa poche.

Une heure plus tard, il avait rédigé un nouveau rapport et avait même poussé l'audace jusqu'à imiter presque parfaitement la signature du médecin. Ce rapport, beaucoup plus favorable, expliquait que le jeune Paul ne devait sous aucun prétexte cesser de suivre ses traitements, mais que les espoirs de guérison étaient réels, que la maladie n'était pas incurable.

La lecture de ce document stupéfia le jeune Paul.

— Je te l'avais dit, expliqua le golfeur. J'ai parlé à ton médecin. Il s'était trompé avec tes tests... Il y a eu un malentendu...

L'enfant ne savait pas trop quoi dire, mais le sourire qui illuminait son visage était suffisamment éloquent. L'espoir avait rejailli en lui.

— Ce sont mes parents qui vont être heureux. Quand ils vont revenir de voyage, ils ne voudront pas me croire...

Le golfeur esquissa un sourire triste. Si son subterfuge redonnait espoir au gamin, il ne lui rendrait probablement pas ses parents.

Au moins, les jours qui suivirent, le petit Paul manifesta les premiers signes d'une amélioration. Son teint était moins pâle, ses joues s'allumaient de feux nouveaux, son pas semblait plus léger, plus sautillant, et il mangeait avec un bel appétit. En un mot, il était beau à voir...

Il avait en tout cas assez de forces pour suivre le golfeur pendant les qualifications de la P.G.A.

Sa foi absolue dans le golfeur accomplissait des merveilles, comme le jour de leur première partie.

En fait, le golfeur se qualifia sans difficulté pour le *U.S. Open*, un exploit qu'il ne croyait plus possible depuis longtemps.

Il se surprenait d'ailleurs d'y être arrivé somme toute assez facilement. Certes, il avait dû se concentrer, s'appliquer. Mais souvent, juste au moment de commettre une erreur mentale qui, dans le passé, lui aurait coûté un ou deux coups, il recourait à la technique de l'arrêt que lui avait enseignée le millionnaire. Il identifiait l'état sombre du golfeur auquel il avait cédé et il le remplaçait par un état brillant.

Ces mesures n'avaient pas réussi à chaque coup, mais lui avaient permis de franchir la première étape et d'accéder au prestigieux tournoi du *U.S. Open*.

Le gamin ne l'en félicita pas, mais ce silence n'avait rien d'impertinent : c'était simplement la conséquence de la haute opinion qu'il avait de Robert.

— Je suis sûr que vous allez gagner le championnat des États-Unis... lui confia-t-il.

— Ah ! oui... Et veux-tu bien me dire pourquoi ?

— Eh bien, c'est simple. Les États-Unis sont le pays le plus grand du monde, n'est-ce pas ?

— Euh, oui... Enfin, c'est ce que croient beaucoup d'Américains...

— Bon. Mais le monde est quand même plus grand que les États-Unis.

— Ah, là, ça, c'est indéniable.

— Alors si vous êtes le plus grand golfeur du monde, comme le monde est plus grand que les États-Unis, vous gagnerez facilement le championnat des États-Unis.

Le golfeur, désarmé par la simplicité du raisonnement de l'enfant, préféra ne pas le contredire.

D'ailleurs, le garçon avait un sujet de tristesse.

Ses parents éternisaient sans explication leur voyage et ne lui avaient pas donné signe de vie depuis des semaines. Même pas une petite lettre, pas la moindre carte postale ni le plus bref coup de fil pour le prévenir de leur incompréhensible retard...

Qui sait... Il leur était peut-être arrivé quelque chose. Un accident ? Un attentat ? Une maladie mystérieuse contractée dans quelque jungle équatoriale ?

Le golfeur se rongeait d'inquiétude. Ne valait-il pas mieux, à la fin, annoncer à l'enfant la vérité au sujet de ses parents ? Mais cette vérité ne lui porterait-elle pas un coup fatal ?

De toute manière, le *U.S. Open* débutait. Pris dans l'agitation des préparatifs, l'enfant oublia ce qu'il croyait être une négligence de la part de ses parents adoptifs.

Le golfeur aussi était absorbé. Il allait vivre les quatre jours les plus importants de sa carrière.

Quatre jours...

Quatre jours qui décideraient de son avenir, qui pourraient le propulser au rang de champion...

La liste des compétiteurs était impressionnante... Robert devrait affronter non seulement les meilleurs golfeurs américains, mais aussi les meilleurs joueurs du monde...

D'anciens champions du *Masters*, du *U.S. Open*, du *British Open*... Et aussi les Anciens, les légendes du golf, qui pouvaient briller d'éclats tardifs et remporter la palme une dernière fois... Mais le jeudi matin, à quelques heures de son départ, le golfeur s'efforça de chasser ces pensées. S'il voulait gagner, il fallait qu'il accepte l'idée de devoir battre ses idoles... qu'il évite de saper son propre moral, avant même d'entamer sa première partie, en se disant que le trophée dont il rêvait était inaccessible... Parce que les plus grands golfeurs du monde le convoitaient tout comme lui...

Il ne fallait pas laisser cet état sombre du golfeur l'envahir, le détruire, le paralyser... Sinon il courait à grands pas vers un naufrage certain, et il n'aurait peut-être plus la chance de se retrouver dans cette situation favorable...

Il prit son petit déjeuner le plus calmement possible. Le millionnaire lui avait expliqué l'importance de manger extrêmement lentement, en mastiquant longuement, ce qui permettait d'extraire de la nourriture son énergie secrète, de faciliter le travail de la digestion et de manger moins : triple avantage non négligeable, surtout dans des moments de stress...

Et, en avalant sa dernière bouchée, il se rappela les paroles du millionnaire : le sage vivait chaque jour comme si c'était le premier jour de sa vie. Il ne restait pas accroché au passé. Il vivait dans le présent. Mais, en même temps, le sage vivait chaque jour comme si c'était le dernier jour de sa vie. Il mettait tout son cœur, toute son âme dans chaque chose qu'il faisait, dans chaque geste, dans chaque parole.

Il ne fallait pas qu'il pense à l'enjeu, mais plutôt qu'il s'absorbe dans le moment présent.

Une journée à la fois.

Une partie à la fois.

Un coup à la fois.

Comme si c'était le premier coup de golf de sa vie... et donc qu'aucun échec passé ne pouvait l'affecter.

Et comme si c'était le dernier coup... et qu'il le jouerait donc avec application, avec concentration, avec l'amour le plus grand. Comme son testament. Comme ses dernières paroles...

En tout cas, c'était à lui d'entrer dans la danse, maintenant...

Heureusement, une pensée le réconfortait : celle d'être bien entouré. Le petit Paul, dont l'état semblait décidément s'améliorer, avait suffisamment de force pour le suivre dans la foule.

Et le golfeur avait la chance de compter sur un cadet qui, s'il n'était pas le plus expérimenté, était certainement le plus vieux et le plus original, avec ses knickers à la Payne Stewart : le millionnaire lui-même !

Le jeudi et le vendredi se déroulèrent comme dans un rêve.

Non seulement le golfeur parvint-il à « faire la coupe », c'est-à-dire à éviter la première élimination des moins bons joueurs, mais il se hissa à un seul coup de la tête en jouant des parties de 68 et 69 dans les allées étroites du parcours spécialement aménagé pour le *U.S. Open.*

Il n'en revenait tout simplement pas !

— Tu vois, avait commenté simplement le millionnaire, ce n'était pas si difficile.

Oui, tout se passait vraiment comme dans un rêve. Son rêve à lui. Et le rêve de l'enfant.

C'était vraiment une expérience nouvelle. Une expérience qui, le golfeur s'en rendait compte, avait lieu presque uniquement sur le plan mental.

Les choses avaient l'air de se passer sur le parcours, certes, avec les autre joueurs, les différents trous, la foule, le tableau de pointage. Mais, en fait, tout se déroulait dans son esprit. Chaque coup était un constant monologue intérieur... Ou un dialogue entre lui et le golfeur intérieur.

Et Robert constatait que le millionnaire avait dit vrai.

Pour gagner, il fallait constamment surveiller ses pensées, n'accepter que celles qui nourriraient correctement le golfeur intérieur et lui permettraient de jouer les meilleurs coups dans chaque circonstance.

Ce n'était pas une sinécure ! La tâche, qui se résumait à constamment chasser les états sombres du golfeur et à constamment cultiver ses états brillants, constituait même la tâche la plus difficile du tournoi.

Il lui fallait ultimement, chaque fois, se contenter de visualiser le coup idéal, s'emplir l'esprit de cette image, de ce but, de cette pensée, et exécuter le coup dans une sorte de vide mental, de silence, d'amour...

La magie des deux premiers jours se poursuivit le samedi.

Contenant une nervosité grandissante, ne se laissant pas distraire par l'attention des journalistes, qui cherchaient tous à savoir qui pouvait bien être cet illustre inconnu, le golfeur parvint à jouer une troisième partie sous la normale, mais moins bonne que ses deux précédentes car il dut se contenter d'un 70. Pourtant, cette partie lui suffit pour se hisser seul en tête.

C'était absolument inouï! Lui, le *choker*, l'*underdog*, qui n'avait jamais pu se qualifier pour le circuit, il menait le *U.S. Open* et aborderait la partie finale avec une avance de trois coups !

Comme la vie était imprévisible ! Se pouvait-il que le millionnaire eût raison à ce point et que l'état d'esprit d'un homme réussît à lui seul à modifier les circonstances de sa vie ?

Malheureusement, cet état d'esprit ne les avait pas toutes modifiées car, une heure après sa phénoménale partie du samedi, le golfeur dut s'excuser auprès des journalistes, qui réclamaient interview sur interview.

Le petit Paul s'était senti soudain très mal et dut être conduit d'urgence à l'hôpital.

Avant de quitter sa chambre, le golfeur voulut rasséréner le gamin. Tout irait bien, il serait en pleine forme le lendemain. Mais le petit Paul ne voyait pas les choses de la même manière :

— Non, je sais que je ne pourrai assister à la partie demain. Mais je vous regarderai gagner à la télé.

— Je vais faire mon possible...

— Que voulez-vous dire ? demanda le gamin avec surprise.

— Je vais le gagner pour toi, rectifia le golfeur.

— C'est promis ?

— C'est promis !

Mais le soir, de retour à sa chambre d'hôtel, le golfeur comprit qu'il ne serait pas si aisé de tenir pareille promesse.

En effet, une nervosité si grande s'était emparée de lui, à l'approche de la dernière partie, qu'il se mit à vomir.

— Venez, dit le millionnaire, qui l'avait trouvé dans sa chambre, blanc comme un drap, le front baigné de sueur, allons nous promener. Cela va vous changer les idées.

15

Où le golfeur découvre le terrible secret de son enfance

La limousine déposa le golfeur et le millionnaire devant un vieux cinéma de Manhattan qui semblait désaffecté. Le millionnaire avait amené avec lui le petit renard, qu'il laissa bien entendu sous la surveillance du chauffeur. L'animal n'était certes pas un cinéphile, mais pareil abandon l'attristait, et il suivit d'un regard nostalgique son maître et le golfeur jusqu'à ce qu'ils s'engouffrent dans le cinéma.

Une jeune et jolie caissière attendait les spectateurs en lisant un roman sentimental.

Elle s'empressa d'ailleurs de le refermer en apercevant les deux hommes. Un instant, le golfeur eut l'impression qu'il la connaissait, ou tout au moins qu'il l'avait déjà vue quelque part. Elle lui rappelait énormément sa mère, jeune.

— Dépêchez-vous, dit le millionnaire, nous sommes en retard.

Ils entrèrent. Le film était déjà commencé.

Il s'agissait d'un vieux film en noir et blanc, et l'attention du golfeur fut tout de suite piquée. La scène se passait en effet dans un grenier qu'il reconnut : le grenier de la maison familiale de son enfance. Cette pièce assez sombre, où il aimait se réfugier, était un véritable capharnaüm : de vieilles lampes, des vêtements usés, des meubles anciens s'y empoussiéraient. Un fébrile garçonnet de douze ans parut, qui lui ressemblait étrangement.

Le garçon cherchait quelque chose, soulevait de vieux vêtements, un tapis. Enfin, presque par accident, entre deux caisses de livres, il découvrit l'objet qu'il cherchait : un bracelet, un bracelet de diamants dont les pierres brillèrent dans la demi-obscurité de la pièce. Le gamin était radieux.

Dans la salle, le golfeur, lui, était troublé. Cette scène lui rappelait quelque chose. Mais quoi ? Il n'aurait su le dire au juste... C'était si lointain...

Le gamin s'empressa de redescendre du grenier et retrouva au salon son père et sa mère. Cette dernière aperçut le bracelet et, sans laisser au jeune garçon le temps de s'expliquer, le lui arracha des mains puis le gifla brutalement.

— Je le savais aussi que c'était toi qui me l'avais volé...

Son père se laissa arracher à son téléviseur, se leva et gifla à son tour le jeune garçon en l'accusant :

— Tu n'es qu'un petit voleur ! Tu ne feras jamais rien de ta vie. Tu seras toujours un raté ! Tu n'as pas honte ? Voler à ta mère le bracelet que je lui ai donné pour notre anniversaire de mariage...

— Mais papa, protestait l'enfant, je ne l'ai pas volé... Je viens de le retrouver au grenier.

— Et cette gifle-là non plus, tu ne l'as pas volée ! jeta le père en le souffletant de nouveau. Menteur ! En plus d'être voleur, tu es menteur ! Tu n'as pas honte ?

Et le père retirait la ceinture de son pantalon, s'apprêtait à battre ce mauvais fils.

Révolté, le jeune garçon arracha à sa mère le bracelet, dont elle était en train de vérifier l'état, et il sortit en courant de la maison. C'était une maison de campagne située non loin d'une falaise imposante, sur le bord de la mer. L'enfant courut vers la falaise. Il semblait fou de rage, de douleur, de désespoir.

Arrivé au bord de l'escarpement, le garçonnet eut un instant d'hésitation. Ses intentions n'étaient pas claires. Voulait-il se tuer en se jetant du haut de cette falaise ?

Il regarda derrière lui, aperçut ses parents qui couraient dans sa direction en gesticulant et en proférant des menaces.

Il se tourna de nouveau vers la mer, regarda le pied de la paroi rocheuse, puis regarda encore une fois ses parents qui approchaient.

Il eut une dernière hésitation et, enfin, abaissa le bras, renonçant à jeter le bracelet. Mais au même moment il glissa, perdit pied et tomba du haut de la falaise, frappant en passant la paroi rocheuse. Au bas de l'escarpement, sa tête heurta un rocher et son front se mit à saigner.

Dans la salle, le golfeur éberlué porta la main à son front, toucha la cicatrice qu'il y portait depuis des années et dont il avait oublié l'origine. C'était donc ainsi qu'il se l'était faite ! Une petite mare de sang commença à se former autour de la tête du garçonnet. À ce moment, une forme étrange sortit du corps du petit garçon, une forme qui ressemblait à un fantôme. Ou à un double. Et qui ressemblait à s'y méprendre au petit garçon étendu inconscient sur le rocher. Le double portait les mêmes vêtements, avait la même chevelure, la même taille... La seule différence était ce qu'on aurait pu appeler son aura. Quelque chose de maléfique se dégageait de lui. Et ses yeux n'étaient pas des yeux ordinaires...

Cloué dans son fauteuil, le golfeur ne tarda pas à se rappeler où il avait déjà vu ces yeux qui semblaient animés par le mal. C'étaient les mêmes yeux que ceux de l'homme au bracelet de diamants qui l'avait traqué sans qu'il sût pourquoi !

Le double vit le bracelet, se pencha pour le ramasser, le mit à son poignet et disparut en courant avant que les parents du petit garçon arrivent.

Le film prit abruptement fin sur ces images. Dans la salle, le golfeur, le front baigné de sueurs, semblait sous le choc d'une révélation d'une importance considérable. Cet homme au bracelet de diamants n'était-il pas issu de lui-même ?

Le millionnaire parut alors et dit :

— Il va falloir que vous vous débarrassiez de lui une fois pour toutes. Il va reparaître demain, parce que vous approchez de la victoire et que cette victoire menace son existence même...

— Qui est-il ?

— C'est votre double. Votre double obscur.

— Mon double obscur ?

— Oui, chez la plupart des êtres, ce double obscur est invisible, ce qui lui donne peut-être encore plus de pouvoir, car on ne croit pas en son existence... Vous savez, la vie est beaucoup plus mystérieuse qu'on ne croit, et ce qu'on en voit, ce qu'on en comprend est bien peu de chose en comparaison de ce qu'elle est vraiment... Mais nous dormons, nous sommes semblables à des somnambules, aveuglés par nos soucis, nos petites préoccupations... Votre double vous surveille constamment comme un tueur à gages... Il veut votre mort, il veut votre destruction. Il vit de votre malheur, de vos angoisses, de votre sang, comme un véritable vampire... Il ne peut pas vous tuer de ses propres mains, il n'en a pas le droit ni surtout le pouvoir... Mais il veut vous détruire moralement, il veut vous pousser à vous tuer vous-même...

Il se tut un instant, puis, en un geste surprenant, il toucha la cicatrice sur le front du golfeur :

— Vous n'avez pas une cicatrice seulement sur le front, vous en avez une sur l'âme, mais elle va disparaître, elle va disparaître... Car la vérité est un soleil qui brûlera tous les liens qui vous empêchent d'être libre, qui vous empêchent d'être heureux...

Et il souffla dans le creux de sa main ouverte, comme si la cicatrice qu'il venait de décrire s'y trouvait et qu'il la faisait disparaître comme par enchantement.

Le golfeur ne fut pas trop certain d'avoir compris ce que disait le millionnaire, mais il y avait tellement d'amour, tellement de compassion dans le petit geste qu'il venait de faire, que les larmes de nouveau lui montèrent aux yeux.

La haine de son père remontait à fort loin.

Mais la tendresse du millionnaire venait de lui faire comprendre qu'il avait trouvé en lui mieux qu'un mentor, mieux qu'un conseiller : un véritable père. Et c'était peut-être, il s'en rendait compte seulement maintenant – il l'avait peut-être toujours nié –, la chose qui lui avait le plus manqué au cours de sa vie.

Alors il sursauta et se réveilla.

Il était tout en sueur dans son lit d'hôtel !

L'étrange aventure qu'il venait de vivre, le cinéma, l'homme au bracelet de diamants, ses parents, le millionnaire, tout n'avait été qu'un rêve !

Un rêve étrange et plein d'enseignement, il est vrai, mais uniquement un rêve.

Il se leva, passa à la salle de bains et se regarda dans le miroir. La pâleur de sa mine l'inquiéta. Son attention se porta vers sa cicatrice, qu'il examina.

Il avait toujours cherché à se rappeler son origine. Se l'était-il faite comme dans son rêve, en tombant au bas de la falaise ?

Une chose était sûre en tout cas : s'il ne se souvenait pas de cette chute de son enfance, l'épisode du bracelet qu'on l'avait accusé injustement d'avoir volé lui revenait avec précision en mémoire...

Tout cela était bien étrange...

La présence du millionnaire dans son rêve l'était aussi. Comme si le vieil homme avait voulu lui enseigner ainsi une leçon qu'il n'aurait peut-être pas pu accepter à l'état de veille, parce qu'elle était par trop mystérieuse...

Le bracelet de diamants... N'était-ce pas le même que celui de l'homme qui semblait le pourchasser ?

Bizarre, pensa le golfeur.

Il se massa le front, les yeux, regarda sa montre : deux heures du matin !

Il fallait qu'il se recouche, qu'il dorme. Il avait absolument besoin de sommeil. Sinon, le lendemain, il n'aurait pas la forme et il ne pourrait tenir le coup sous la pression.

Il retourna dans son lit, tenta de se rendormir. Mais une inquiétude persistait en lui. Son double obscur reviendrait-il le hanter au cours de la partie finale ? Essaierait-il de lui faire perdre son avance ?

Et lui, saurait-il résister à la maléfique influence qui, jusqu'à ce jour, avait gâché toute sa vie ?

16

Où le golfeur subit l'épreuve finale

Tout joueur qui a participé à un tournoi de haut calibre sait que rien n'égale la pression du dimanche. Rien, sinon la pression du deuxième neuf trous qui, en général, décide du vainqueur du tournoi.

Le golfeur avait assez bien résisté à la pression des neuf premiers trous. Constamment, il avait cultivé en lui les états brillants du golfeur. Constamment, il avait reconnu et chassé les états sombres. Et cette médecine fort simple, mais d'autant plus difficile à appliquer avec constance que la pression grandissait, avait fait merveille.

Il jouait un coup à la fois, un trou à la fois, et, malgré un début de partie chancelant – il avait commis deux bogueys et avait failli perdre contenance –, il était parvenu à ne pas se laisser trop affecter. À preuve, aux trous suivants, il avait regagné les coups perdus avec deux oiselets, puis avait repris son avance en tête en calant, à un trou à normale cinq, un coup d'approche bon pour un aigle. Il avait recommencé à respirer un peu mieux. « Je peux y arriver, je peux y arriver, se répétait-il. Plus que neuf trous maintenant. Seulement neuf trous... »

Mais ces paroles ne l'apaisaient qu'en partie, et son cœur continuait à battre plus fort que d'habitude. Certes, il recourait avant chaque coup de départ à la méthode de relaxation que le millionnaire lui avait enseignée la veille.

Il prenait dix grandes respirations, très profondes, en gonflant son abdomen et en expirant le plus complètement possible.

Mais la pression était si forte que cette méthode ancienne aux vertus éprouvées n'agissait qu'imparfaitement. Il pouvait en effet sentir la pulsation de son cœur jusque dans la pupille de ses yeux ! Parfois elle devenait si forte que sa vision pendant un instant se brouillait.

« Je me calme, je me calme ! se répétait-il comme une litanie. Je peux y arriver, je peux y arriver. Un autre coup. Je ne joue qu'un coup à la fois, un coup à la fois. »

Il constatait plus que jamais à quel point le millionnaire avait dit vrai, que le golf était un état d'esprit, que tout se passait dans la tête. À la vérité, le golfeur était si concentré que bien souvent il n'entendait plus du tout la foule pourtant nombreuse qui le suivait. Il n'entendait pas non plus les applaudissements de cette foule lorsque, aux autres trous, un joueur avait réussi un oiselet ou un aigle. Il ne percevait que le battement de son cœur. Il n'entendait plus que ses pensées. C'était donc cela, la pression... Cette intensité extraordinaire, cette adrénaline qui se ruait dans le sang, qui l'obligeait à modifier son choix de bâton parce qu'il lançait avec un fer n° 6 à la même distance que, normalement, avec un fer n° 5.

Comment s'adapter à ce changement subit, à cette puissance inhabituelle ?

Il consulta le millionnaire qui, en homme d'affaires habile qu'il était, délégua son pouvoir et renvoya Robert à son golfeur intérieur.

— Il sait mieux que moi ce que tu dois jouer. Il sait tout, parce qu'il peut tenir compte de milliers d'informations qui m'échappent.

Le golfeur suivit le conseil éclairé du millionnaire, consulta son génie golfique. Il s'efforçait de lui faire pleinement confiance, de ne pas discuter les intuitions que celui-ci lui envoyait. Il s'efforçait d'une certaine manière de ne plus penser, de s'effacer devant son golfeur intérieur, de le laisser jouer à sa place, choisir les bâtons, exécuter les coups.

Peut-être avait-il ainsi accédé à cet état que les joueurs appellent « la zone », cet état de grâce particulier qui permet au joueur d'exécuter l'un après l'autre des coups extraordinaires, de faire exactement ce qu'il veut avec ses bâtons, comme dans un rêve.

Le golfeur songea que le défi le plus grand consistait surtout à se servir de son esprit... pour ne pas penser. Cela semblait paradoxal, mais c'était ainsi. Ne pas penser...

Ne pas penser qu'il était en tête, et qu'il pouvait maintenant gagner pour la première fois de sa vie le *U.S. Open*, le championnat de son pays. Parce que ces pensées n'avaient rien à voir avec le coup qu'il devait jouer et qui devait monopoliser toute son attention, toute son énergie...

Parce que ces pensées ne pouvaient que le distraire, qu'augmenter une pression déjà considérable en lui...

Ne pas penser...

Ne pas penser qu'au dernier moment, aux derniers trous, les vrais champions, qui le talonnaient depuis le début, reprendraient leur position naturelle, le délogeraient et lui raviraient la palme au fil d'arrivée : au dernier trou...

Parce que, statistiquement, ils étaient favoris ; parce que logiquement lui, l'*underdog*, l'illustre inconnu, il allait craquer avant la fin ; parce que, mathématiquement, ses chances de gagner étaient pour ainsi dire nulles, parce qu'il n'avait jamais gagné auparavant et que, trois mois plus tôt, il n'avait même pas sa carte de la P.G.A.

Parce que, également, son père le lui avait toujours dit et que son père ne pouvait pas se tromper... Il le lui avait prédit... Il était un raté, un raté qui avait probablement, à l'heure qu'il était, perdu son emploi, le seul emploi intéressant qu'il eût jamais eu, même s'il se sentait appelé vers un destin plus brillant...

Oui, il perdrait, parce qu'il ne saurait pas se montrer digne de la haute opinion que la femme de sa vie avait de lui, parce que, finalement, il n'aurait pas la force de lui prouver qu'elle avait raison de croire en lui...

Parce que, au fond, en un curieux et triste paradoxe, il lui prouverait que c'était lui qui avait raison : il savait qu'il perdrait, qu'il n'était pas de la trempe des champions... Parce qu'il avait toujours perdu les êtres – surtout les femmes – qui auraient pu le rendre vraiment heureux...

Mais il y avait le millionnaire...

Le millionnaire avait cru en lui, lui avait donné, ou prêté – il ne savait plus trop –, vingt-cinq mille dollars pour lui prouver sa confiance et pour lui donner le petit coup de pouce nécessaire...

N'éprouverait-il pas une honte immense s'il perdait au dernier moment ? Mais n'est-ce pas ce qui arriverait ? Parce qu'il était né pour perdre, pour vivre dans l'ombre, dans la honte ?

Et il y avait cet enfant adorable et malade qui, dans son petit lit d'hôpital, devait être rivé à l'écran du téléviseur, devait connaître les mêmes émotions que lui et, le cœur battant, le front pâle, attendait de le voir triompher...

Jusque-là, il avait réussi à dominer ce tourbillon hallucinant de pensées et d'émotions qui fondaient sur lui comme les vagues assaillent un rocher dans le déchaînement d'une tempête...

Il avait réussi la première moitié de l'épreuve et entamait le deuxième neuf trous avec une avance de trois coups sur son plus proche rival, qui jouait d'ailleurs avec lui.

Mais en passant du vert du neuvième trou au tertre de départ du dixième, le golfeur tomba sur l'ennemi que lui avait annoncé le millionnaire : l'homme au bracelet de diamants !

Il reconnut tout de suite, dans la foule de plus en plus nombreuse qui le suivait depuis le matin, son regard singulier et inoubliable, ses yeux mauvais, maléfiques, puis son sourire, et enfin son bracelet qui, sous les chauds rayons de soleil de ce mois de juillet, jetait de vifs éclats.

Il fut d'abord surpris. Ce diable de millionnaire avait vu juste. Saisi d'un mouvement de crainte, Robert voulut éviter l'étranger, mais la foule était trop dense et il n'eut d'autre choix que de passer devant lui.

— Tu croyais m'échapper, jeta l'homme au bracelet de diamants. Mais tu es fini ! Tu as joué au-dessus de ta tête toute la journée ! Maintenant, tu vas t'écrouler !

Le golfeur voulut répliquer, mais le millionnaire, qui portait son sac, le prit par le bras et l'entraîna.

— Viens, dit-il. Ne discute pas avec lui.

Le vieil homme avait sans doute raison. Toute discussion serait inutile, nuisible même. Il lui fallait plutôt se concentrer sur les neuf trous qu'il lui restait à jouer.

Mais, à la vérité, la parole de l'homme au bracelet de diamants était puissante, comme celle d'un hypnotiseur.

Elle troubla en tout cas le golfeur, qui fit l'erreur de la laisser entrer en lui, comme un noir cheval de Troie dans la forteresse de ses pensées. Elle rejoignit ses craintes, ses angoisses, qui s'exaltaient et devenaient de plus en plus difficiles à contrôler à mesure que la fin était proche.

Et, au dixième trou, Robert fit un horrible boguey double. En récupérant sa balle dans la coupe du dixième vert, il aperçut dans la foule l'homme au bracelet de diamants qui souriait, triomphalement. Sa prédiction se réalisait. D'une manière maléfique, il haussa la main à son front, à l'endroit même où le golfeur portait sa vieille cicatrice.

Et ce geste curieux et inattendu ébranla de nouveau la confiance du golfeur. Cela l'inquiéta. Il se rappela le film étrange qu'il avait vu la veille, il se remémora sa chute sur les rochers, sa blessure au front, la petite flaque de sang qui se formait, et l'homme aux diamants qui sortait de lui et ravissait le bracelet maternel.

Il se rappela surtout la scène qui avait précédé, sa mère à qui il rapportait joyeusement le bracelet perdu et qui, pour toute récompense, le giflait...

Et son père qui le rabrouait également, le frappait, l'accusant d'être un petit voleur et un raté qui ne ferait jamais rien de sa vie... Son père avait eu raison au fond, il le savait maintenant, il en était sûr, la victoire allait lui échapper...

Il avait déjà eu, dans le passé, cette certitude, qui se traduisait physiquement d'une manière bien caractéristique chez lui... Pas seulement mentale mais bien physique... Une sorte d'effondrement lent mais inexorable, un serrement de la gorge, la salive qui devenait plus rare, presque absente, un malaise dans le ventre, comme la veille lorsqu'il s'était mis à vomir...

— Ce n'est pas grave, dit le millionnaire après ce coûteux boguey double qui réduisait à un seul coup l'avance du golfeur. Oubliez ce trou. Chassez-le totalement de votre pensée.

Mais, à la mine effondrée du golfeur, il comprit que la situation était grave.

— Je suis perdu, dit le golfeur. Je sais que je vais échouer, j'en suis sûr.

— Non ! protesta le millionnaire. Ne soyez pas idiot. Vous allez gagner. Rien n'est encore joué. Vous êtes toujours en tête.

— Mais je viens de perdre deux coups en un seul trou.

— Vous êtes tout de même en meilleure position que votre adversaire. C'est à lui d'être pessimiste, pas à vous.

Mais la prédiction du golfeur parut se réaliser, car au trou suivant, il fit trois roulés à dix pieds, commettant un boguey ; cela acheva de le déprimer et lui fit perdre sa mince avance.

— Je le savais, dit-il.

Le millionnaire le rabroua vertement.

— Vous le saviez ou vous annonciez à l'avance votre échec ? Allez, ressaisissez-vous ! Vous pouvez réussir ! Vous pouvez gagner ! Mais il faut que vous y croyiez !

Le golfeur le regardait, battu, défait.

Le millionnaire se contenta de lui dire, le regardant droit dans les yeux :

— Moi, je crois en vous. Je suis sûr que vous allez gagner !

Le golfeur sourit, mais son sourire était empli de scepticisme. Il surprit d'ailleurs le sourire de son adversaire, un sourire bref, le sourire d'un joueur d'expérience : ce n'était pas la première fois qu'il voyait un inconnu se mettre à *choker* aux derniers trous.

Finalement, il y avait des lois au golf comme dans la vie. Et chacun finissait toujours par se retrouver dans la position qu'il méritait, ou qu'il croyait être la sienne.

Robert ne faisait pas exception à la règle. Il s'effondrerait et finirait probablement septième ou huitième. Sa seule chance était que le tournoi ne durât pas plus longtemps, sinon il dégringolerait encore plus loin de la tête !

Était-ce l'encouragement du millionnaire, sa confiance absolue en Robert ? Toujours est-il que le golfeur parvint, comme par miracle, à se ressaisir et arriva au dix-huitième et dernier trou avec une avance d'un coup. Il avait réussi des coup exceptionnels, calé un roulé de vingt pieds, un autre de trente, et repris la tête.

Mais en se dirigeant vers le dernier tertre de départ, le golfeur croisa de nouveau l'homme au bracelet de diamants.

— Ton coup de départ va aller droit dans le bois ! jeta ce dernier comme une prophétie.

— Tes paroles ne m'atteignent plus ! Tu es mort ! Ne t'en rends-tu pas compte ? répliqua avec assurance le golfeur.

L'homme au bracelet de diamants parut, pour la première fois, moins sûr de lui, son visage se rembrunit, et une expression de profonde frustration passa dans ses yeux.

Le dernier trou était une longue normale 4 de quatre cent cinquante-cinq verges, dont l'allée fort étroite était bordée de part et d'autre par un bois plutôt clairsemé. Il fallait un coup de départ très précis et extrêmement long pour pouvoir atteindre sans trop de difficulté un vert bien protégé par d'immenses fosses de sable.

Le golfeur se présenta sur le tertre avec la pensée qu'il avait besoin d'au minimum une normale pour, sinon remporter le tournoi, du moins aller en prolongation. Ce n'était pas ce qu'il souhaitait, mais il lui fallait au moins une normale.

Une normale !

Une simple normale et il remporterait le *U.S. Open*, sauf si son adversaire réussissait un oiselet. Or les oiselets avaient été très rares à ce trou tout au long de la semaine. En revanche, il y avait eu d'innombrables bogueys, et des bogueys doubles aussi. En fait, le dix-huitième trou s'était avéré le plus difficile de tout le parcours ; on y avait joué une moyenne de 4.62 coups.

Mais le plus important était le coup de départ. Le golfeur pensa d'abord : « Il ne faut pas que je lance dans le bois. Il ne faut absolument pas que j'aille dans le bois, sinon je suis mort ! » Puis il se dit qu'il venait de commettre une erreur – il avait cédé à un état sombre du golfeur – une erreur d'ailleurs renforcée par la prédiction de l'homme au bracelet de diamants.

Il chassa ces pensées.

Il choisit une petite cible en plein milieu de l'allée, un clocher au loin, se concentra.

Son cœur battait à tout rompre maintenant. Robert avait l'impression qu'il allait littéralement lui sortir de la poitrine. Il pouvait presque l'entendre. Il le sentait jusque dans ses pupilles. C'était inouï! Mais il fallait qu'il se calme. Il ne pouvait pas tenter un élan dans un pareil état de nervosité. Il prit de profondes respirations.

Il essaya de faire abstraction totalement de la situation. Il n'y avait pas de foule. Il ne se trouvait pas au dernier trou du *U.S. Open*, avec une avance d'un coup. Et il ne devait pas effectuer un coup de départ extrêmement difficile dans une allée protégée par une forêt. Il était tout à fait seul sur un terrain d'exercice. Il allait jouer un coup de bois n° 1 comme il en avait joué des milliers dans sa vie, sans forcer, avec fluidité, calmement.

Son adversaire frappa un coup parfait en plein centre. Maintenant, c'était au tour de Robert. Il s'avança sur le tertre, posa sa balle sur le té.

Dans la foule, tout près de lui, l'homme au bracelet de diamants, qui semblait posséder lui aussi la faculté de lire dans ses pensées comme le millionnaire – puisqu'il était son double, c'était sans doute pour lui une tâche fort simple ! – vit à l'assurance de Robert qu'il n'était pas parvenu à l'ébranler et que, fort probablement, celui-ci réussirait à éviter le bois.

Alors, en désespoir de cause, il adopta une nouvelle tactique : pendant que le golfeur se trouvait au sommet de son élan arrière, juste avant qu'il entame sa descente, il éclata d'un rire bruyant, qui résonna bizarrement dans la foule parfaitement silencieuse et aussitôt surprise de ce manquement incroyable à l'étiquette du noble sport.

Déconcentré, le golfeur se contracta et frappa sa balle, qui aboutit dans le bois.

Il n'en revenait pas.

Qui avait osé rire ?

Il scruta la foule et aperçut l'homme au bracelet de diamants, qui le nargua d'un pied de nez puis disparut parmi les spectateurs avant que les juges aient le temps de le repérer et de lui mettre la main au collet.

Le golfeur était livide. Aucun règlement ne prévoyait de disposition en cas de faute d'étiquette ou même de distraction volontaire d'un spectateur. Son coup était manqué, et sa balle était dans le bois. S'il ne la retrouvait pas, il aurait une pénalité de deux coups. Il lui faudrait revenir au tertre de départ et jouer son... quatrième coup ! Et alors il ne pourrait probablement faire mieux qu'un boguey double, ce qui permettrait à son adversaire de l'emporter avec une simple normale.

Il regarda le millionnaire et, pour la première fois depuis qu'il le connaissait, il eut l'impression que celui-ci était surpris, même peut-être dépassé par les événements, même si par ailleurs il ne manifestait aucune agitation et restait à la vérité parfaitement calme.

— Il faut trouver ta balle, se contenta-t-il de dire, comme si seuls les faits importaient. Allez, il faut la trouver.

Les deux hommes se mirent en marche d'un pas rapide.

Ils arrivèrent bientôt à l'endroit de la forêt où la balle avait pénétré. Plusieurs personnes avaient déjà entrepris des recherches, des juges, des bénévoles du tournoi, quelques spectateurs.

Mais la balle avait pu heurter n'importe quel arbre et prendre une direction imprévisible, se trouver à cinquante mètres de l'endroit où se concentraient les recherches.

Le golfeur n'en revenait pas. C'était donc ainsi que son premier championnat lui échapperait : non pas par sa maladresse, par une erreur mentale, mais véritablement par une injustice, par un vilain truc de l'homme au bracelet de diamants, qui finalement aurait gain de cause.

— Je le savais, laissa-t-il tomber, vaincu, à l'adresse du millionnaire, qui ne semblait nullement découragé et soulevait une branche après l'autre avec un fer.

Au bout de quelques minutes de recherches infructueuses, le golfeur sut qu'il était battu. Il finirait le tournoi honteusement, retournerait au tertre de départ, frapperait, la mort dans l'âme, son quatrième coup et ferait de son mieux pour ne pas perdre trop de places au classement de manière à obtenir quand même un chèque sympathique.

Maigre consolation pour un homme qui, quelques instants plus tôt, s'apprêtait à remporter le titre de champion de golf des États-Unis !

Mais il eut alors la surprise d'apercevoir le petit renard Fred qui se tenait à l'orée du bois, dans une éclaircie. Il était tranquillement assis, comme le jour de leur rencontre sur le terrain de golf du millionnaire. Le golfeur s'approcha, intrigué, cependant qu'un frisson le traversait. Se pouvait-il que... le renard eût retrouvé sa balle ?

Il s'approcha davantage, et Fred s'éloigna en le laissant examiner la balle.

C'était effectivement la sienne qu'il croyait perdue !

Il était sauvé ! D'autant qu'un examen rapide de la situation lui permit de repérer une ouverture à travers le bois, pas très large certes mais suffisante, moyennant évidemment un peu d'adresse et de sang-froid, pour se replacer dans l'allée et s'approcher du vert, peut-être même l'atteindre avec un coup parfait.

Il fit un clin d'œil au renard qui s'éloignait, effarouché par l'arrivée des juges. Le petit animal ne venait-il pas de corriger l'injustice commise traîtreusement par l'homme au bracelet de diamants ?

Le millionnaire le rejoignit.

— Heureusement que Fred était là... dit le golfeur en regardant sa balle.

— Le petit coquin... Il me fait toujours le coup. Je ne sais pas comment il s'y est pris pour sortir de la chambre...

— En tout cas, si je gagne, je lui devrai une fière chandelle...

Mais il lui fallait maintenant jouer son coup. Il se trouvait à environ deux cent vingt-cinq verges du vert, il avait besoin d'un coup parfait de fer n° 2, sinon sa balle se retrouverait dans le sable.

— Prenez votre temps, dit le millionnaire. Surtout prenez votre temps.

Le golfeur prit son temps, visa l'ouverture devant lui, fit un bon contact avec la balle, qui sortit du bois mais, frappée un peu grasse*, tomba dans une fosse profonde juste devant le vert.

Il y eut d'abord des applaudissements nourris dans la foule massée à la sortie du bois, parce que le coup, particulièrement dans les circonstances, était exceptionnel. Mais autour du vert un murmure s'éleva. Le golfeur n'avait-il pas compromis de nouveau ses chances de remporter le championnat ?

Son adversaire s'appliqua et atteignit le vert, mais se garda un coup roulé de douze pieds, en montant. De là, il ne pouvait faire pire que deux coups roulés. Et il pouvait aussi réussir un oiselet, ce qui lui permettrait d'aller en *sudden death*** si Robert ne parvenait pas à sauver sa normale.

Ce dernier eut encore une fois une décharge d'adrénaline. Il n'entendait plus rien. Il regardait seulement en direction de la fosse et se répétait qu'il lui fallait absolument mettre la balle dans le trou en deux coups.

Il arriva à la fosse et, avant d'y descendre car elle était profonde, il examina attentivement la position du drapeau. Il respira profondément, visualisa sa balle qui sortait de la fosse, tombait sur le vert et roulait en direction du drapeau pour s'arrêter à quelques pouces.

---

* Frappée grasse : expression qui signifie que le golfeur a frappé trop de terre avec la balle.

** Aller en *sudden death* : aller en prolongation.

Il préféra ne pas prendre trop de temps pour jouer de crainte de figer sur sa balle et de perdre ses moyens. Il exécuta son coup. La balle se souleva, sortit de la fosse, tomba sur le vert, mais un peu plus tôt que le golfeur ne l'eût souhaité, et s'arrêta en fait à trois pieds du trou. Dans la foule, il y eut des applaudissements mitigés et quelques murmures. C'était un roulé en descendant, avec une courbe. Un roulé qu'on pouvait très bien manquer, et qui n'avait rien de ce que les Américains appellent un *gimme**.

Le golfeur s'empressa de sortir de la fosse pour découvrir quel roulé il s'était laissé. En le voyant, il comprit immédiatement que ce ne serait pas une sinécure et que la partie était loin d'être gagnée.

Si son adversaire réussissait son roulé et obtenait un oiselet, lui-même ne pourrait faire mieux que l'égaler et devrait aller en prolongation.

Quelques secondes plus tard, la balle de son adversaire se mettait en mouvement vers la coupe. À un pied, le golfeur comprit qu'il allait probablement perdre le tournoi ou, en tout cas, qu'il devrait aller en prolongation. La balle se dirigeait en effet droit vers le trou.

Toutefois, au dernier moment, elle dévia légèrement, toucha la lèvre de la coupe, tourna vers la gauche et s'arrêta juste derrière le trou, sans y tomber. Il y eut un murmure incroyable dans la foule. Son adversaire termina son roulé avec une moue de dépit et se posta en retrait, impatient de voir l'issue du tournoi. Le golfeur réussirait-il ce court mais difficile coup roulé ? Craquerait-il au dernier moment, comme il avait craqué à son coup de départ qu'il avait « poussé » dans le bois, sans doute en bonne

* *Gimme* : un coup roulé si court que les adversaires le concèdent, c'est-à-dire le donnent (d'où *Gimme*, *Give me*).

partie il est vrai en raison de cet éclat de rire inopportun de l'un des spectateurs ?

Le golfeur avait bien entendu compris que le vent tournait cette fois en sa faveur et qu'il avait maintenant sa chance de l'emporter.

Il prit bien son temps, analysa son coup roulé sous tous les angles. En arpentant le vert, il aperçut de nouveau l'homme au bracelet de diamants dans la foule. Celui-ci le regarda droit dans les yeux, avec un air de défi, puis laissa tomber :

— *Nice try !**

Essaierait-il encore de le distraire par quelque truc malhonnête ? Robert se jura que, cette fois-ci, il demeurerait imperturbable.

Ayant terminé son analyse, il se mit en position devant sa balle. Et il pensa alors que, curieusement, toute l'issue du tournoi se résumait à un roulé, un simple roulé de trois pieds, qui d'ailleurs ressemblait étrangement au roulé de trois pieds que le millionnaire lui avait fait pratiquer à quelques reprises et sur lequel, même, il avait parié cent mille dollars. Quel hasard ! Quelle bizarre coïncidence !

Mais ce roulé de cent mille dollars, il n'était jamais parvenu à le faire, il s'était mis à trembler, il avait figé.

La même chose ne se passerait-elle pas ?

Il regarda le trou, puis la balle, regarda de nouveau le trou, mais, au moment où il allait frapper, une hésitation s'insinua dans son esprit. Il fallait qu'il prenne davantage son temps. Le vert était rapide, il y avait une courbe. L'avait-il bien évaluée ? Et le grain du vert, en avait-il tenu suffisamment compte ?

---

* *Nice try!* : Bien essayé!

Il ne pouvait tout de même pas rompre sa position et se remettre à analyser son coup ! Pas devant les milliers de spectateurs massés autour du vert. Pas devant les caméras de télévision, qui diffusaient l'événement dans le monde entier...

Il aurait l'air de quoi ?

Soudainement, tout bascula, il perdit sa belle contenance. Et de nouveau il entendit son cœur battre à tout rompre.

Que faire ?

Il était sûr maintenant qu'il raterait son coup, que la balle ne tomberait pas dans la coupe. Il avait souvent manqué des roulés courts dans des situations difficiles. Il était même, si on peut dire, passé maître dans l'art peu enviable de rater ce genre de coups décisifs.

Allons, il lui fallait jouer ! Il ne pouvait pas s'éterniser !

La balle partit, roula vers le trou, l'effleura, puis dévia et s'arrêta à un pied !

Le golfeur ferma les yeux, mais lorsqu'il les rouvrit, la balle se trouvait toujours devant lui. Il avait tout simplement halluciné, anticipant le ratage !

Il s'efforça une dernière fois de remplacer un état sombre du golfeur par un état brillant, visualisa la balle qui décrivait une courbe parfaite avant de disparaître dans la coupe, prit une dernière respiration et laissa partir le coup.

Puis il ferma les yeux, comme pendant son hallucination, incapable de suivre la trajectoire de la balle. Il se contenta d'écouter, et de prier, sachant fort bien que tout son destin se jouait sur ce simple coup roulé.

Alors, après ce qui lui parut une éternité, comme si le temps avait suspendu son vol, il entendit un son, un tout petit son sec, le son préféré de tout golfeur : celui de la balle qui tombait dans le trou !

Le son merveilleux fut immédiatement suivi d'une clameur immense.

Il rouvrit les yeux, croyant encore qu'il rêvait, qu'il n'avait pas joué la balle, mais la balle ne se trouvait plus devant lui !

Elle n'était pas non plus autour du trou. Il s'avança et la vit au fond de la coupe, immobile et blanche pour l'éternité.

Il la ramassa, l'embrassa et la lança triomphalement dans la foule. Le millionnaire se jeta tout de suite après dans ses bras et le serra.

— Je suis fier de vous ! Je suis fier de vous ! Je savais que vous réussiriez. Je le savais !

Et pour la première fois depuis leur rencontre, le golfeur vit dans les yeux du millionnaire des larmes d'émotion.

Ses yeux aussi devinrent humides. C'était trop ! Trop d'émotion en si peu de temps !

— Je ne vous aurais pas passé vingt-cinq mille dollars si je n'avais pas été sûr de mon coup, ajouta le millionnaire comme pour contrecarrer ce surcroît d'émotion.

Le golfeur allait lui répondre lorsque son adversaire défait, par ailleurs gagnant de nombreux tournois prestigieux, s'approcha de lui et lui tendit élégamment la main en le félicitant :

— *Welcome to the club !*

Il venait d'entrer dans le club prestigieux des gagnants. Il était devenu champion des États-Unis. Il avait remporté le *U.S. Open*!

La clameur dans la foule s'apaisa tout à coup et céda la place à une sorte de murmure étonné. Un vide se forma à un endroit, près du vert. Intrigué, le golfeur s'approcha et aperçut alors, étendu au sol, visiblement agonisant, celui qui avait failli lui faire perdre le tournoi : l'homme au bracelet de diamants.

Ce dernier paraissait avoir été terrassé par une crise cardiaque. Ému malgré l'inimitié évidente qu'il lui portait, le golfeur se pencha au-dessus de lui.

Alors cet homme au regard encore mauvais trouva la force de retirer le bracelet qu'il portait depuis des années et de le lui remettre, comme un héritage, ou comme une preuve de sa défaite. Les deux hommes échangèrent un long regard, puis, sans rien dire, l'homme au bracelet de diamants rendit l'âme. Avec une émotion étrange, le golfeur lui ferma les yeux.

Lorsqu'il se releva, il vit dans la foule deux spectateurs inattendus qui avaient assisté au décès de l'homme au bracelet de diamants : c'étaient son père et sa mère. Attirés par les reportages dans les journaux et à la télé, ils avaient décidé de venir encourager leur fils et de partager son éventuel triomphe.

— Papa ? laissa tomber le golfeur, étonné.

— C'était lui qui avait volé mon bracelet ? dit la mère, visiblement repentante.

— Oui, répondit le golfeur.

Et il s'approcha de sa mère, lui remit le bracelet. Mais dans sa nervosité, sa main tremblotante laissa tomber le bracelet sur un arroseur métallique. Dans sa chute, le bracelet se brisa et plusieurs pierres se fragmentèrent.

La mère parut ahurie. Elle se pencha pour ramasser le bracelet, en examina les pierres brisées, comprit tout en un seul instant.

— Ce n'étaient pas des diamants ! s'exclama-t-elle, le visage défait, en se tournant vers son mari, honteux, qui se contenta de répondre avant de baisser la tête :

— Non...

Pingre, il avait voulu économiser pour leur cadeau d'anniversaire et lui avait offert un bracelet de pacotille ! Puis, une fois qu'elle l'eût perdu, il avait préféré, à la générosité de décharger son fils d'une faute vénielle, sauver la face en gardant pour lui la vérité.

Il eut pourtant le courage de relever un moment les yeux pour affronter le regard de son fils. Son fils qui, pendant des années, avait pour ainsi dire été puni, banni, pour une erreur qu'il n'avait pas commise, pour le vol présumé d'un bracelet sans valeur !

Le golfeur l'observa et lui pardonna tout. Parce que maintenant ce n'était plus que chose du passé. L'horrible homme au bracelet de faux diamants était mort. Et puis sans ce malentendu, sans cette haine injuste, le golfeur n'aurait peut-être jamais rencontré le millionnaire et ne serait peut-être jamais devenu champion de golf des États-Unis. Comment savoir ?

La vie était si mystérieuse, et les voies qu'elle choisissait pour nous permettre de grandir étaient si imprévisibles !

La mère regarda son fils, comprit l'ampleur, l'absurdité de la méprise, s'approcha de lui et le serra dans ses bras.

Le golfeur se laissa serrer ainsi longuement, tout en regardant son père.

Mais des journalistes de la télévision s'approchaient avec des caméras. Il devait se plier aux exigences de sa gloire nouvelle.

Et puis on lui apportait la coupe, qu'il s'empressa d'embrasser sous les applaudissements enthousiastes de la foule. On lui remit un chèque de deux cent cinquante mille dollars. Pas si mal pour quatre journées de travail !

Le directeur du club pouvait bien le congédier, si le cœur lui en disait, il avait de quoi voir venir puisqu'il avait gagné en quatre jours plus qu'il ne faisait en quatre ans !

Alors qu'il se prêtait complaisamment au jeu des photographes qui le bombardaient, il aperçut la dernière personne qu'il s'attendait à voir là : Clara.

Il lui fit signe de s'approcher, avec émotion.

— J'ai vu ta photo dans tous les journaux et j'ai pensé venir t'encourager... Je t'ai suivi, mais tu étais absorbé et tu ne m'as pas vue...

Il ne savait pas quoi lui dire. Il ne savait s'il devait l'embrasser. Il savait seulement qu'il l'aimait, qu'il n'avait jamais cessé de l'aimer.

Il sentit à son regard qu'elle aussi l'aimait, que peut-être tout n'était pas perdu entre eux, qu'ils pourraient se retrouver, prendre un nouveau départ...

Subitement, il pensa à celui pour qui il s'était surpassé, pour qui peut-être, ultimement, il avait remporté le championnat : le petit Paul.

Il fallait absolument qu'il lui apporte le trophée à l'hôpital, pour que l'enfant puisse triompher avec lui.

— Viens, dit-il à Clara. J'ai quelqu'un à aller visiter.

Et accompagné du millionnaire et de Clara, qu'il prit par la main, il faussa compagnie à tout le monde.

Dans la limousine du millionnaire, avec le futé petit renard que le golfeur présenta avec amusement à une Clara étonnée, ils roulèrent à tombeau ouvert jusqu'à l'hôpital.

Une déception les y attendait.

Le petit Paul était au plus mal, entouré d'infirmières et de médecins.

Pourtant, lorsqu'il aperçut le golfeur, son visage s'éclaira d'un large sourire.

— Je savais que vous gagneriez ! J'en étais sûr.

Et le golfeur s'empressa d'aller lui mettre le trophée dans les mains. Le petit Paul l'admira un instant, puis il perdit son sourire.

— Je ne pourrai plus jamais jouer avec toi, dit-il.

— Ce n'est pas parce que je suis le champion des États-Unis que je ne voudrai pas jouer.

— Non, je sais, mais je vais mourir bientôt...

— Pourquoi dis-tu ça ? protesta le golfeur.

— Parce que je le sais. Mais ce n'est pas grave, je suis prêt. Hier, j'ai rêvé à un roi-mage. Et dans mon rêve, ce roi-mage me disait que j'allais revenir sur terre très rapidement, et que je pourrais retrouver mes parents... Alors ça me console. Mais il faut que vous me promettiez quelque chose... Quand ils vont revenir de voyage, dites-leur de ne pas s'inquiéter, que je suis mort mais que je vais revenir... Ils ont seulement à faire l'amour...

Le golfeur sourit, parce qu'il ne voulait pas pleurer. Mais tout le monde dans la chambre avait envie de pleurer, parce que tout le monde, sauf Clara, connaissait la vraie histoire du petit Paul et de ses parents.

— Je te le promets, ne t'inquiète pas... dit le golfeur.

Le petit renard, qui était passé inaperçu à l'entrée, sauta alors sur le lit, et ce fut pour l'enfant une grande joie.

— Fred ! dit-il, tu es venu ! Tu es venu !

Et le renard, affectueusement, se mit à le lécher, ce qui n'eut pas l'air de plaire à l'une des infirmières présentes qui s'avança et crut alors que, dans son enthousiasme, le renard avait mordu l'enfant. En effet, celui-ci saignait de la bouche. Elle s'empressa de retirer l'animal, mais elle comprit qu'il n'avait rien fait, que son effusion avait été absolument inoffensive. L'enfant en effet crachait du sang en suffoquant.

Quelques minutes plus tard, malgré des soins empressés, il rendait l'âme.

17

Où le golfeur et le millionnaire se séparent

Le soir, le millionnaire hébergea aimablement le golfeur et sa compagne.

Le lendemain, jour du départ, le golfeur remit au millionnaire l'argent que ce dernier lui avait si aimablement prêté.

Il lui remit aussi les clés de la Ferrari. Mais le millionnaire les repoussa de la main.

— Je vous la donne. J'ai toujours eu l'impression, de toute manière, qu'elle ne m'appartenait pas. Dès que je l'ai achetée, j'ai senti que je l'avais achetée pour quelqu'un d'autre, j'ignorais pour qui à l'époque. Maintenant, je le sais.

— Je... je ne sais pas quoi vous dire...

— Alors ne dites rien...

— Mais comment... comment puis-je vous montrer ma reconnaissance ?

— Soyez vous-même, simplement. C'est la plus haute tâche, la plus difficile. Et dans tout ce que vous faites, tâchez d'être en paix avec vous-même. Et puis, n'oubliez pas de partager avec les autres ce que je vous ai enseigné. Par vos paroles, bien entendu, mais surtout par votre exemple. Car l'exemple est le plus puissant des enseignements. Devenez un grand golfeur. Et surtout devenez un homme heureux. À notre époque, c'est le bien le plus original et le plus grand que vous puissiez faire aux autres. Car celui qui est malheureux ne peut rendre les autres heureux. Et nous sommes sur cette terre uniquement pour rendre les autres heureux et pour grandir à travers cette noble tâche.

Le millionnaire se tut et le golfeur comprit qu'il était temps pour lui de partir. D'ailleurs, le valet Henri arrivait avec, sur un plateau d'argent, un téléphone portatif et annonçait que c'était encore le président !

— Qu'il attende, dit le millionnaire.

Alors le golfeur s'empressa de serrer le vieil homme dans ses bras, comme s'il était son père.

Et puis il monta dans la Ferrari.

En refermant la portière, il se rappela tout à coup la curieuse pensée ou plutôt la demande qu'il avait faite à son génie intérieur au sujet de cette voiture. Étrange, son souhait s'était réalisé. La voiture lui appartenait maintenant.

Il leva les yeux vers le ciel, eut un sourire :

— Merci, Sam, dit-il, baptisant spontanément son génie.

Le golfeur salua une dernière fois le millionnaire, qui avait entamé la conversation avec le président.

Il allait démarrer lorsqu'il vit devant lui le petit renard, paisiblement assis, qui lui barrait le chemin.

Le golfeur sourit, klaxonna, et le renard vint appuyer ses deux pattes sur la portière afin de recevoir une dernière caresse du golfeur.

— Eh, j'oubliais... Merci de ce que tu as fait pour moi...

Le renard hocha la tête, puis repartit en gambadant joyeusement vers le petit boisé qui était sa demeure.

En traversant la belle grille métallique de la propriété, Robert eut une pensée et demanda à sa compagne :

— Crois-tu que les rêves se réalisent ?

Leur longue vie commune, leurs affinités cordiales permettaient à Clara de lire souvent dans les pensées du golfeur.

— Tu te demandes si le petit Paul va revenir avec ses parents ?

— Pas avec ses parents, parce qu'ils sont séparés maintenant. Et, en fait, ils l'ont abandonné lorsqu'ils ont appris qu'il était condamné.

— Ah ! je ne savais pas. C'est triste...

— Mais est-ce que tu penses qu'il va revenir sur terre ?

— Je ne sais pas... Je ne sais vraiment pas...

— Que dirais-tu si on essayait de le faire revenir ?

— De le faire revenir ? Mais comment ? Par de la magie noire ?

— Mais non, simplement en...

Elle comprit. Et le soir, ils firent longuement l'amour. Quelques mois plus tard, un enfant naquit de ces louables efforts, un garçon qu'ils baptisèrent Paul. Ils ne surent jamais s'il s'agissait du même petit Paul. Mais ils se plurent à le croire.

Avaient-ils tort ?

Qui sait...

Ne dit-on pas que la foi soulève les montagnes ?

FIN

Collection Deux Continents

Audet, Noël
L'EAU BLANCHE

Bélanger, Jean-Pierre
LE TIGRE BLEU

Chabot, Vincent
LE MAÎTRE DE CHICHEN ITZA

Champagne, Maurice
L'HOMME-TÊTARD

Clavel, Bernard
MISÉRÉRÉ

Conran, Shirley
NUITS SECRÈTES

Contant, Alain
HENRI

Cousture, Arlette
LES FILLES DE CALEB, tome 1
LES FILLES DE CALEB, tome 2
LES FILLES DE CALEB, tome 1 (compact)
LES FILLES DE CALEB, tome 2 (compact)
LES FILLES DE CALEB (coffret-compact, tomes 1 et 2)

Dandurand, Andrée
LES CARNETS DE DAVID THOMAS

Deighton, Len
PRÉLUDE POUR UN ESPION

Desrochers, Pierre
LE CANISSIMIUS

Dor, Georges
DOLORÈS
IL NEIGE, AMOUR
JE VOUS SALUE, MARCEL-MARIE
LE FILS DE L'IRLANDAIS

Faure, Christophe
LA CHAOUÏA

Fisher, Marc
LE GOLFEUR ET LE MILLIONNAIRE
LE PSYCHIATRE

Fournier, Claude
LES TISSERANDS DU POUVOIR
LES TISSERANDS DU POUVOIR (compact)

Gagnon, Cécile
LE CHEMIN KÉNOGAMI

Germain, Georges-Hébert
CHRISTOPHE COLOMB

Gramont (de), Monique
LA CLÉ DE FA

Harvey, Maurice
UNE AMITIÉ FABULEUSE

Jennings, Gary
AZTECA

Lachance, Micheline
LE ROMAN DE JULIE PAPINEAU

Le Bouthillier, Claude
LE FEU DU MAUVAIS TEMPS
LES MARÉES DU GRAND DÉRANGEMENT

Ohl, Paul
DRAKKAR
KATANA
SOLEIL NOIR

Ouellette-Michalska, Madeleine
L'ÉTÉ DE L'ÎLE DE GRÂCE

Parizeau, Alice
BLIZZARD SUR QUÉBEC
NATA ET LE PROFESSEUR

Payette, Lise
LA BONNE AVENTURE

Rouy, Maryse
AZALAÏS OU LA VIE COURTOISE

Villeneuve, Gisèle
RUMEURS DE LA HAUTE-MAISON

Collection Littérature d'Amérique

Audet, Noël
ÉCRIRE DE LA FICTION AU QUÉBEC
FRONTIÈRES OU TABLEAUX D'AMÉRIQUE
L'OMBRE DE L'ÉPERVIER
LA PARADE

Beauchemin, Yves
DU SOMMET D'UN ARBRE
ENTRETIENS SUR LA PASSION DE LIRE [TRANQUILLE]
JULIETTE POMERLEAU
LE MATOU (poche)
LE SECOND VIOLON

Bélanger, Denis
LA VIE EN FUITE
RUE DES PETITS DORTOIRS

Bessette, Gérard
L'INCUBATION
LA COMMENSALE
LA GARDEN-PARTY DE CHRISTOPHINE
LE CYCLE (poche)
LE SEMESTRE
LES DIRES D'OMER MARIN

Billon, Pierre
L'ENFANT DU CINQUIÈME NORD (compact)
LE JOURNAL DE CATHERINE W.

Blondeau, Dominique
LA POURSUITE
LES ERRANTES
UN HOMME FOUDROYÉ

Bourguignon, Stéphane
L'AVALEUR DE SABLE
LE PRINCIPE DU JEYSER (à paraître)

Brouillard, Marcel
FÉLIX LECLERC : L'HOMME DERRIÈRE LA LÉGENDE

Champetier, Joël
LA TAUPE ET LE DRAGON

Cohen, Matt
CAFÉ LE DOG

Collectif
AVOIR 17 ANS
PLAGES
UN ÉTÉ, UN ENFANT

Côté, Jacques
LES AMITIÉS INACHEVÉES

Dahan, Andrée
L'EXIL AUX PORTES DU PARADIS

Degryse, Marc
ERICK, L'AMÉRIQUE
LE NAVIRE D'ACOMA

Demers, Bernard
LE ZÉROCYCLE

Dupuis, Jean-Yves
BOF GÉNÉRATION

Dutrizac, Benoît
KAFKA KALMAR : UNE CRUCIFICTION
SARAH LA GIVRÉE

Forest, Gilbert
DICTIONNAIRE DES CITATIONS QUÉBÉCOISES

Fournier, Roger
GAÏAGYNE
LE RETOUR DE SAWINNE

Gagnier, Marie
UNE ÎLE À LA DÉRIVE

Gagnon, J.
FORÊT
LES MURS DE BRIQUE
LES PETITS CRIS

Gaudet, Gérald
VOIX D'ÉCRIVAINS

Gendron, Marc
LOUISE OU LA NOUVELLE JULIE
MINIMAL MINIBOMME

Gobeil, Pierre
TOUT L'ÉTÉ DANS UNE CABANE À BATEAU

Goulet, Pierre
CONTES DE FEU

Gravel, François
LES BLACKSTONES VOUS REVIENDRONT DANS QUELQUES INSTANTS
MISS SEPTEMBRE
OSTENDE

Guitard, Agnès
LE MOYNE PICOTÉ
LES CORPS COMMUNICANTS

Hamelin, Louis
LA RAGE
LA RAGE (compact)

Hamm, Jean-Jacques
LECTURES DE GÉRARD BESSETTE

Jobin, François
LA DEUXIÈME VIE DE LOUIS THIBERT
MAX OU LE SENS DE LA VIE

Jutras, Jeanne-d'Arc
DÉLIRA CANNELLE

Lamirande (de), Claire
L'OCCULTEUR
LA ROSE DES TEMPS
NEIGE DE MAI
VOIR LE JOUR

La Mothe, Bernard
LA MAISON NATALE

La Rocque, Gilbert
APRÈS LA BOUE
CORRIDORS
LE NOMBRIL
LE PASSAGER
LES MASQUES (compact)
LES MASQUES (poche)

La Rocque, Sébastien
CORRESPONDANCE BESSETTE/LA ROCQUE

LaRue, Monique
LES FAUX FUYANTS

Lazure, Jacques
LA VALISE ROUGE

Le Bourhis, Jean-Paul
LES HEURES CREUSES

Lemieux, Jean
LA LUNE ROUGE

Lemonde, Anne
LES FEMMES ET LE ROMAN POLICIER

Léveillée, Gilles
LIEUX DE PASSAGE
LES PAYSAGES HANTÉS

Mallet, Marilù
LES COMPAGNONS DE L'HORLOGE POINTEUSE
MIAMI TRIP

Meunier, Sylvain
FLEUR-ANGE
LES NOCES D'EAU

Michaud, Andrée A.
LA FEMME DE SATH

Michaud, Michel
L'AMOUR ATOMIQUE

Mistral, Christian
VAMP

Munro, Alice
POUR QUI TE PRENDS-TU?

Oates, Joyce Carol
AMOURS PROFANES
UNE ÉDUCATION SENTIMENTALE

Ouellette-Michalska, Madeleine
L'AMOUR DE LA CARTE POSTALE
LA FÊTE DU DÉSIR
LA MAISON TRESTLER
LA TENTATION DE DIRE

Ouvrard, Hélène
L'HERBE ET LE VARECH
LA NOYANTE

Paré, Yvon
LES OISEAUX DE GLACE

Péan, Stanley
LE TUMULTE DE MON SANG

Plante, Raymond
LE TRAIN SAUVAGE

Poliquin, Daniel
NOUVELLES DE LA CAPITALE
VISIONS DE JUDE

Poulin, Gabrielle
LES MENSONGES D'ISABELLE

Poulin, Jacques
VOLKSWAGEN BLUES
VOLKSWAGEN BLUES (compact)
VOLKSWAGEN BLUES (poche)

Proulx, Monique
LE SEXE DES ÉTOILES
SANS CŒUR ET SANS REPROCHE
SANS CŒUR ET SANS REPROCHE (poche)

Ramsay, Richard
LE ROMAN DE TRISTEHOMME ET ESSEULÉE

Raymond, Gilles
SORTIE 21

Renaud, Thérèse
LE CHOC D'UN MURMURE

Rioux, Hélène
CHAMBRE AVEC BAIGNOIRE
L'HOMME DE HONG KONG
PENSE À MON RENDEZ-VOUS
UNE HISTOIRE GITANE

Robidoux, Réjean
LA CRÉATION DE GÉRARD BESSETTE

Robin, Régine
LA QUÉBÉCOITE

Rousseau, Paul
YUPPIE BLUES

Saint-Amour, Robert
VISITEURS D'HIER

Saucier, Guylène
SARABANDE

Sernine, Daniel
CHRONOREG

Sicotte, Anne-Marie
GRATIEN GÉLINAS : LA FERVEUR ET LE DOUTE, tome I (1909 - 1956)
GRATIEN GÉLINAS : LA FERVEUR ET LE DOUTE, tome II (APRÈS 1956)

Smart, Patricia
ÉCRIRE DANS LA MAISON DU PÈRE

Smith, Donald
L'ÉCRIVAIN DEVANT SON ŒUVRE
GILBERT LA ROCQUE, L'ÉCRITURE DU RÊVE
GILLES VIGNEAULT, CONTEUR ET POÈTE
JACQUES GODBOUT, DU ROMAN AU CINÉMA

Szucsany, Désirée
BEAU SOIR POUR MOURIR
LE VIOLON

Thério, Adrien
MARIE-ÈVE, MARIE-ÈVE

Tougas, Gérald
LA MAUVAISE FOI

Tranquille, Henri
ENTRETIENS SUR LA PASSION DE LIRE [BEAUCHEMIN]

Tremblay, Janik
J'AI UN BEAU CHÂTEAU

Vanasse, André
LA VIE À REBOURS

Vekeman, Lise
LE TROISIÈME JOUR

Vézina, France
OSTHER, LE CHAT CRIBLÉ D'ÉTOILES

Veilleux, Florent
LA FIANCÉE D'ARCHI

Vonarburg, Élisabeth
AILLEURS ET AU JAPON
CHRONIQUES DU PAYS DES MÈRES

Ce premier tirage a été
achevé d'imprimer en mai 1996
sur les presses de l'Imprimerie Gagné,
Louiseville, Québec.